朝日新書
Asahi Shinsho 881

最強の思考法

フェアに考えればあらゆる問題は解決する

橋下　徹

朝日新聞出版

はじめに　なぜ今、「フェアの思考」なのか

私たちは今、未曽有の「情報氾濫社会」の中で生きている。しかも、「自分の意見が絶対的に正しいんだ」という、それぞれの思い込みがどんどん強くなっている時代だ。

自分の考えとは異なる相手に対して「それは違う！」「あなたは間違っている！」「あなたの考えは不正義・邪論だ！」という感情が沸騰し、ほとんどの議論が不毛なものになっている。

たとえば、ツイッターでの自称、保守派とリベラル派の対立。憲法改正からコロナ対策、夫婦別姓、有名人のセクハラ・パワハラ問題まで、お互いをネトウヨ、パヨクなどと罵り合い、炎上合戦が繰り返されている。正義を笠に着た誹謗中傷もあとを絶たず、命を落とす人もいる。

大手メディアに登場するインテリたちでさえ「自分の言っていることが絶対的な正解で

ある」という前提から主張を展開している。それに合わない主張を「不正解だ」と決めつけているケースが目立つ。その結果、主張の違う者同士は激しく対立し続け、解決の道から程遠い不毛な論争を続けている。

言論空間を含め、今日の社会は敵をやり込めることしか考えない不毛な対立ばかり。その最終形態が不幸・悲惨な戦争というものだ。

どちらかが正解で、どちらかが不正解。ゆえにこうした対立は避けられないのか。

日常生活でもビジネスの世界でも、何が「正解」なのか誰にも分からないのが今日の状況だ。テクノロジーの進歩は著しく、僕たちが処理する情報量は増える一方、そこに新型コロナやロシアによるウクライナ侵攻などの大事件も起き、ますます絶対的に正しい解決策を導き出すのが困難になっている。

それなのに議論して理解を深めるより、「論破」が「偉いこと」とされている。「あなたの考えは不正義・邪論だ！」という決めつけがはびこると、どれだけ時間を費やしたとしても議論は平行線のままで終わり、有効な解決策は何一つ出てこない事態に陥ってしまう。

何が絶対的な正解か分からない状況において、自分の考えこそが「正義だ」「正論だ」

と決めつけた途端、人間は思考停止になってしまう。

だから僕は、自分の意見を主張するのに正義や正論という、個人の価値観によってどうとでも捉えられる概念を振り回さないようにしている。

思考停止に陥らず、より生産的な議論のプロセスを回すため、僕が駆使しているのが「フェアの思考」だ。ロシアによるウクライナ侵攻に対する「政治的妥結論」はその典型である。

ロシアによるウクライナ侵攻の衝撃

２０２２年2月24日、ロシアがウクライナに対して軍事侵攻した。ロシア軍は大規模に展開し、攻撃を続け、ウクライナ人を殺害している。戦車の砲撃、ミサイル攻撃、兵士による銃撃。おびただしい数の人間の命が奪われ、街は破壊されていく。これはゲームの世界ではない。21世紀という現代におけるリアルな戦争だ。

局地的な武力紛争ではなく、ロシアという核兵器を保有する大国が、公然と国境を越えて隣国を侵略している戦争。こんな戦争が21世紀に起こったことに対して、国際社会は絶望と怒りに包まれ、一刻も早い停戦を願っている。

だが、ロシア・プーチン政権側から見るこの戦争の風景は全く異なる。ロシア国民の中にも、我々西側諸国民と同じ見方をする者もいるだろうが、おそらく多くのロシア国民は、我々とは異なる見方をしている。プーチン政権によるプロパガンダが影響しているかもしれないが、それでもロシア側が我々と違う見方をしていることは間違いない。

戦争はいかにそれが始まらないようにするかが勝負である。外交が重要であることはもちろんのこと、防衛力の強化や同盟関係の構築、さらには自国戦闘員の士気を高めるための社会環境の整備（戦死者への追悼など）によって、他国に対して自国を攻撃することをためらわせることが国防というものである。

不幸にしていざ戦争が始まってしまうと、武力によって相手を倒すか、政治的に妥結するしか解決方法がなくなってしまう。

そして政治的な妥結は、当事者双方の犠牲が少ない序盤か、逆に双方ないしはいずれか一方の犠牲が極限状態に達した終盤時、または双方の戦闘が激化し膠着状態に陥ったときにしかなし得ない。というのも戦闘が継続すればするほど双方に犠牲が広がっていき、自ら受けた犠牲に見合う戦果をお互いに強く求め合うようになるので、犠牲の比較的少ない序盤のタイミングを逃してしまうと、もはや戦果を考えることができないほどの甚大な犠牲を被るときまで政治的妥結は困難となるからだ。

ゆえに自らの犠牲を最小限にできる武力による圧勝の見通しを持っていれば、戦闘を選択することで戦果を十分に得た解決をすることができるが、そこまでの圧勝の見通しを持てないのであれば、序盤で政治的妥結をしない限り、結局は甚大な犠牲を被ることになる。また、自ら有利になる政治的妥結をするために戦闘を継続し、戦況を少しでも有利にした形で膠着状態に持ち込んだとしても、その時点で双方が甚大な犠牲を被っている以上、犠牲に見合う戦果を得られる政治的妥結は限りなく困難となる。つまり、兵士や国民の命を大切にする成熟した民主国家になればなるほど犠牲に見合う戦果を達成することが困難となってしまう。

したがって武力による圧勝が望めないのであれば、戦闘を継続するにしても常に政治的妥結を念頭に置き、犠牲と戦果を天秤にかける思考を続けることが重要である。保証のない武力による勝利だけを念頭に置いた思考は、無限の犠牲をもたらすリスクが高い。

このように戦争が始まってしまえば、感情的な勝利願望は横に置き、自国と敵国の軍事力や犠牲に対する耐性力を見極めて、戦闘を継続しながらも戦果と犠牲のバランスをとる政治的妥結を常に模索する思考が必要かつ重要となる。こここそが政治の知恵であり、政治家の使命と力量である。戦闘一択の政治では国民を不幸のどん底に陥れてしまう。

戦争を防ぐこと、戦争による一般市民の犠牲をできる限り最小限にすること、それが政治の最大の役割だというのが僕の持論だ。自分たちは一滴の血も流すことのない西側諸国民の多くは、ウクライナが武力による勝利を収めることを望んでいる。政治的妥結というものは、ともすると降伏に映り、忌むべきものらしい。

しかし政治的妥結イコール降伏ではない。一般市民の犠牲の拡大を抑え、自分たちの要求をギリギリまで実現するための最適解・最善解だ。一方的な降伏とは全く異なる。

一般市民の犠牲の拡大はどこかで止める必要がある。限界がある。そこを見極め、犠牲を払ってでも譲歩できないラインと、これ以上の犠牲を払うくらいなら譲歩するラインをギリギリまで詰める思考をしていく。ここは戦争当事者だけでなく、この戦争によって利益を受ける周辺国も同じような思考をするべきだ。

西側諸国は、ロシアによる侵攻・蛮行が止まることによって現行の国際秩序を維持することができ、多大な利益を受けることができる。そうであれば西側諸国は、その多大な利益を多少犠牲にすることによってウクライナの犠牲や負担を少しでも軽くすることができないかと思考をすべきだ。

自分たちは武器や資金の援助、そしてロシアへの経済制裁（それも自国のエネルギーや利益などには最大の配慮をしながら）にとどまって一滴の血を流すことなく、ウクライナだけに甚大な犠牲を払わせて現行国際秩序維持という多大な利益を享受することは、政治的にも道徳的にも許されることではない。西側諸国もウクライナと同様に、自らの譲歩ラインを見極める思考が必要となる。

戦闘を継続しながらも、ウクライナと西側諸国のこのような思考を敵国ロシアにぶつけて、プーチン大統領にも犠牲と戦果、譲歩を見極める思考を促していく。そして最後に両者の要求と譲歩をギリギリのところで合致させることが政治的妥結というものだ。一方的な降伏とは異なる。

こちらが100％の要求をするだけでは、相手も100％の要求を返し、いつまでも平行線をたどって戦闘だけが継続し、一般市民の犠牲が拡大する。

武力による圧勝が望めるのであれば、もちろんこちらは100％の要求を維持すればいい。しかし圧勝が望めないのであれば、戦闘を継続しながらも政治的妥結を模索することが必要であり、相手に政治的妥結を促すのであれば、こちらもその思考を相手にぶつけていかなければならないのである。

政治的妥結とはこのように複雑なパズルを組み合わせるような、脳みそに汗を大量にかく作業であり、その実践方法については拙著『交渉力』(PHP新書)で詳述した。

ここで最も重要なポイントは、敵国ロシア・プーチン大統領はこの戦争をどのように見ているか、考えているかを把握することだ。つまり相手の思考を把握できないと、こちらは自分の主張を一方的に叫ぶだけになってしまうし、逆に譲歩し過ぎてしまう。自分の要求・譲歩と相手の要求・譲歩を組み合わせて合致点を探っていくためには、相手の思考を的確に見極め、把握しなければならない。

このように、相手の譲歩を最大限に引き出し、自分の要求を最大限に叶えるために必要な思考こそが、本書でこれから解説する「フェアの思考」だ。これは実践書である『交渉力』において「別書で論じる」としたところであり、まさに交渉力の基盤となる思考力について詳述するのが本書の役割である。

仕事や人生の最良の武器としての「フェアの思考」

自分の価値観・物事の見え方・考え方と、相手のそれは往々にして異なるものだ。その究極の乖離状態、対立状態が戦争当事者同士のそれである。その開きは埋めがたいものがある。

戦争当事者は、それぞれ戦争を正当化する理由を持つ。それが相手方や第三者から見ていかに屁理屈的なものであったとしても、本人にとっては正義そのものなのである。そして国際社会においては、拒否権を持つ国連安全保障理事会常任理事国であるロシアに対して、侵略行為を止める強制力を持つ機関は存在しない。

そうすると先にも述べたように、いったん戦争が始まってしまうと、当事者いずれかの武力による圧勝が望めない限り、戦闘が継続したとしてもどこかで政治的妥結が必要になってくる。ここでも拒否権を持つロシアに対して強制的にジャッジを下す国際機関は存在しないことから結局は当事者たちで合意を得るほかない。

もちろん、ウクライナとロシアだけが当事者になるのではなく、西側諸国も当事者として参加することによってウクライナの犠牲と負担を軽減する政治的妥結が可能となり、それを模索すべきというのが僕の持論だが、いずれにせよ合意が必要になる。

また、そもそも戦争を回避することこそが政治の使命であり、それが外交というものであるが、外交も合意が基本である。当事国に揉めごとがある場合に、それを解決する国際機関が存在しないのであれば、最悪の戦争を回避するための政治的合意が必要不可欠になってくる。

そしてその際に、当事者同士自分の主張を絶対的な正義だと言い張るだけでは永遠に合意は得られない。

揉めごとは、自分の物事の見え方や考え方こそが絶対的に正しく、正義・正論だと信じ切るところから始まる。相手の物事の見え方や考え方は、間違いで不正義・邪論ということになってしまうからだ。そしてその対立はいつまで経っても解消せず、国家間のことであれば最終的には戦争にまで至ってしまう。

このような対立を事前に解消し、最悪のシナリオを回避するためのテクニックが「フェアの思考」である。同じ事象でも、自分の見え方と相手からの見え方は違う。これが大前提だ。その上で、

◯自分が主張することは、相手にも同じ主張を認める。
◯自分がやってきたことは、相手にも同じことをすることを認める。

◯相手を批判するなら、同じ理由で自分も批判されることを認める。
◯自分が批判されたくないなら、相手を同じ理由で批判しない。
お互いに価値観や物事の見え方・考え方に違いがあったとしても、自分と相手をフェア（公平・公正）に扱うという思考が「フェアの思考」というものであり、この思考こそが、複雑な対立関係を解決するための決定的な糸口となる。

対立関係の究極のものが戦争であるが、戦闘を継続しながらも、合意形成に向けてどのように思考していくべきなのか。ロシアによるウクライナ侵攻を題材に、このあとの第2章で改めて詳しく述べる。

この「フェアの思考」は不利な状況、ピンチを切り抜けるツールでもある。様々な問題解決の場面において、いきなり完璧な正解の道を求めるものではなく、正解に近づく可能性の高い「道を作りあげていく」思考法ともいえる。

大前提は、世の中の多くの問題は「正解が分からない」ということ。いきなり絶対的な正解を見つけることは不可能と考えることだ。

だから「自分の主張が絶対的に正しい」「相手の主張は絶対間違っている」というスタ

ンスを捨てるところから始めなければならない。その上で、絶対的な正解は分からなくても、正解に近づく可能性の高い道を自ら作っていく思考に切り替えるのである。

相手もこちらの「道の作り方」に納得してくれれば、協働してその道を作っていける。そして、その道を真摯にたどっていけば結果について相互に100%の納得を得られなくても、相互の対立を解消できるほどの納得は得られるはずだ。

この正解に近づく可能性の高い道を作るためのキーワードが「フェア」である。すなわち「フェアの思考」は、価値観や考え方における対立を乗り越えるための思考法であり、これは仕事や、人生において判断の難しい選択の岐路に立たされたときにも、最良の判断指針を与えてくれる。

では本論に入ろう。仕事や人生において最良の武器となる「フェアの思考」について時事問題や、僕の政治家・法律家としての経験を事例に取り上げながら、より実践的にみなさんにお伝えしたいと思う。

最強の思考法　フェアに考えればあらゆる問題は解決する

目次

第2章　フェアに「戦争」を考える　65

第3章　感情や空気でなく「ルール」を重視　111

第4章　自分の思考の「軸」を見える化する

第1章　相手の立場から物事を見る

「価値観抜き」で考える

人それぞれの価値観が違うように、国によって価値観も考え方も違う。文化、社会制度、何から何まで違う国同士の間で、価値観が全く同じになるということはまずない。価値観というものは自らの正解や正義、正論の主張の基礎となっているので、価値観の違いこそが対立の原因となる。

たとえば「自由・民主・平等」という普遍的価値と日本で言われるものでも、いわゆる西側諸国の人間が持っている価値観を基礎にして「正しい」と信じられているだけだ。それらの価値観を信じていない西側諸国以外の他国に対して、「自由・民主・平等」を普遍的価値だと言って押し付けても、その途端に激しい対立が生じる。普遍的価値という言葉・ワードだけでは、それを信じていない相手を納得させることはできない。

つまり普遍的価値という言葉は正義・正論というワードと同じである。すなわち、それを正しいと信じている者たちが、自分たちの主張こそが絶対的に正しいと決めつけているに過ぎない。

であれば、価値観の異なる者同士の対立関係を解消するためには、人にしろ国にしろ、それぞれの文化的背景も宗教的背景も生活習慣も違い、価値観の違いが当然存在することを前提として、その価値観を抜きにした「正解に近づく可能性の高い道」をうまく作っていく方法しかない。価値観や正義をいったん横に置いたこのやり方だからこそ、価値観・正義について激しい対立を生じている者の間でも何かしらの折り合いを見つけることができるのである。

「正解に近づく可能性の高い道」を作る方法、それがこの本のテーマ「フェアの思考」だ。その中身は何なのか。ごく簡単に言うと、次の5つが柱となる。

①相手の立場に立って考える。
②好き嫌いの感情で結論を決めない。
③ルールに照らして考える。
④自分のそれまでの主張と矛盾しないことに最大限の注意を払う。
⑤手続き・プロセスを重視して、絶対的な正解ではなく、より「マシな」優位性で考える。

これから順を追って説明していきたい。

大事なことは、この「フェアの思考」に「価値観」は入ってこないということだ。

相手の立場から見なければ裁判は勝てない!

ここで、僕が専門としている裁判を例に話をしたい。

民事裁判では通常、原告と被告のそれぞれに僕ら弁護士が代理人に就いて法廷に立つ。そのときに「自分の言っていることが絶対的に正しい、相手の言っていることは全部間違いだ」ということだけを主張している弁護士はだいたい裁判で負けている。

一方、勝てる弁護士は相手がどういう立場でどういう見方をしているのか、相手の立場に立って考えながら裁判に臨んでいる。それで「ああ、確かに自分がその立場にあればそう主張するな」「そういえば自分も相手と同じようなことを主張していたな」と思える部分については攻撃しない。相手の立場に立ったときに、それなりに理屈が通っていたら、そこを攻撃しても打ち砕くことが難しいからだ。

そして勝てる弁護士はどうするかと言えば、相手の立場に立って相手の主張を全否定せずにそれを前提とした上でさらに反駁するか、相手の立場に立ちながら「この主張のこの部分は弱いな」という弱点を見つけて、そこを集中的に攻撃する。決して「自分は絶対的に正しい、相手は全て間違っている」などとは主張しない。相手の主張を認めた上で反駁するか、弱点部分を集中攻撃するのである。

つまりダメな弁護士は、相手の立場に立って考えることができないので、相手の弱点を見つけることができずなかなか勝てないのだ。そして自分は絶対に正しく、相手は全て間違っているという主張しかできない。

これは裁判に限らずどんな議論でも同じだと思う。本当に相手の理屈の弱点を見つけ出そうと思えば、相手の立場に立って考えるという構えが必須だ。今の自分の立場からは相手の主張は認められない。けれども、相手の理屈がきちんと立っているところはなかなか崩せない。だから相手の立場に立って突き崩せる弱い部分を探すのである。

そして相手の理屈を突き崩すために、かつての自分の主張を修正しなければならないときには、その修正をきちんとした上で相手を攻めていく。相手から「あなたは私の考えをおかしいと言うが、あなたもかつては同じようなことを言っていましたね」と言い返されること、つまりブーメランで返されることが一番かっこ悪いし、その後の議論は完全に相手ペースになってしまうからだ。

この点、相手の立場に立って考えることが、相手に味方する・相手を擁護することと同一視されて批判されることがある。このような批判をする者は、自分の主張こそが絶対的に正義だと常に信じ込み、自分の主張だけを叫ぶことに終始することが多い。そして相手から痛恨のブーメラン反論を浴びせられて窮地に追い込まれる。相手の立場で考えることができないからだ。

相手の立場に立って考えることとは、相手に味方する・相手を擁護することではない。自分の主張を通していくために、相手の思考と脳みそを覗くことなのである。相手の思考が分からない者は、論戦で勝つことが少ないし、議論は永遠に平行線で終わり、結果としてお互いに著しい不利益を被ることが多くなる。

たとえば、外交問題で一定の解決策を探っていくときに、単にお互いの正義をぶつけ合うだけなら議論は何も進まず、最終的には戦争に踏み切り、武力によって圧勝しない限り解決しないことになってしまう。

そんな最悪の結末にならないためにも、相手の立場に立って考えて、相手の理屈の弱点をしっかり突いていく。逆に相手を攻めているポイントについて、自分もかつて相手と同じような主張をしていたことに気づき、そこを突かれたら嫌だなと思えば、かつての自分の主張を取り下げた上で、相手を攻めるようにする。

こうすれば相手は「痛いところを突かれた」と認識するし、「あなたもかつては同じような主張をしていたでしょ」とブーメラン返しされることもなく、議論は前向きに進んでいくだろう。不毛な正義の対立から脱却するポイントは、相手の立場に立って考えることなのである。

「自分の弱み」「相手の強み」を知らずにケンカするな

具体的な外交問題で考えてみよう。

お隣韓国のトップが、対日姿勢が非常に厳しかった文在寅《ムンジェイン》大統領から、日韓関係改善のメッセージを発する尹錫悦《ユンソンニョル》大統領に代わった。東アジアにおける自由・民主・法の支配の価値観同盟を強化し、東アジアにおける日本の安全保障を強化する観点から、僕は日韓関係が改善することを期待しているが、それを実現するのはそう簡単な話ではない。

韓国国民の大多数は対日姿勢が厳しい。特に歴史認識においては、日本のそれと真正面からぶつかり合うし、経済の領域についても韓国は日本に対して強烈なライバル意識を持っている。それでも政治は協議することが全てだ。ただちに日韓関係が改善することはないにしても、とにかく話し合うことが重要だ。

日韓で全てを理解し合うことは無理な話だ。だから完全なる友好関係になるのも無理だろう。しかし中国、ロシア、北朝鮮が日韓の隣国である。安全保障環境がますます厳しくなる東アジアにおいて、日本と韓国が共通の利益のためにがっちりとタッグを組むことが必要不可欠だ。

そのためにはまずはお互いに自らの主張をぶつけ合うことが必要かつ重要であり、その際の超重要なポイントが「フェアの思考」なのである。

日韓の間に横たわる様々な問題は、その協議をする際に、相手の立場に立って考える「フェアの思考」を使うべき典型的な事例だ。

「フェアの思考」に基づいて以下の事例を考えたい。

2018年10月30日、韓国大法院（最高裁）は、戦時中日本企業で働いていた韓国人労働者が日本企業を訴えた件で、労働者の主張を認め、日本企業（新日鐵住金、現日本製鉄）に賠償命令を下した。同年11月29日にも別の日本企業（三菱重工）に同様の判決を下した。

このいわゆる戦時徴用工判決以降、韓国海軍艦艇による自衛隊機へのレーダー照射事件、日本の対韓輸出管理強化、韓国での日本製品の不買運動、韓国のGSOMIA（軍事情報包括保護協定）破棄決定（のち撤回）などの問題が続き、日韓関係は極度に冷え込んでいる。

いわゆる戦時徴用工の問題は韓国の好きにやらせておけばいい、放っておけばいいという日本側の主張は無責任過ぎる。そのまま放っておけば、被告日本企業の韓国内に保有する財産が強制執行の対象になってしまう。

実際、韓国内日本企業の資産売却手続きが進んでいるようだ。しかも日本企業で強制的に労働させられたとする韓国人元労働者の数は、韓国側の主張では22万人ほど存在するらしい。その韓国人元労働者たちがこれから同様の訴訟を提起し、全て賠償命令が下されれば、日本企業は途方もない賠償義務を負う（なお21年6月7日、同様の訴えに対しソウル中央地裁が却下する判決を出している）。

韓国も日本と同様、政府と司法が分かれている権力分立の国なので、政府が司法の領域で進んでいる資産売却の強制執行手続きを止める手立てがない。政府が本気で司法による強制執行手続きを止めようとすれば、それは権力分立の建前に反することになる。

この点、日本側から韓国の政権に対して、「韓国政府が資産売却手続きを止めろ！」という非難の声が上がっていたが、そんな非難を繰り返しても、韓国から「じゃあ日本の国は政府が裁判所の手続きを止めることができるの？　それは三権分立に反しないの？」と簡単にブーメラン反論されてしまう。

それでも日本側は、

「いや韓国は文前大統領が最高裁の裁判官を、自分の考え方に沿う者に入れ替えた。自分と同じ思想の者を最高裁裁判官に任命したから、政府と司法は一体となっている」

と非難するが、韓国から、

「日本も政府である内閣が最高裁の裁判官を指名・任命することになっていますよね。政府が最高裁裁判官を任命することを理由に、韓国の制度は政府と司法が分離していないので問題だというなら、日本の制度も同じく問題でしょ？」

と、これまた簡単にブーメラン反論されてしまう。

これまで韓国に対してなされてきた日本のこのような非難は、なんの効果もない、アンフェアの思考の典型例だったのだ。

さらに、韓国を厳しく非難する勢力は「徴用工」という言葉自体を否定する。「徴用工」は強制的に働かされたことを意味するので、「旧朝鮮半島出身労働者」と呼ぶようにしているようだ。「強制ではない」と強調したいのであろう。

しかし戦時中、韓国側が主張している規模ではないにしろ強制労働の事実が存在したことは間違いない。強制労働の事実が全く存在しないのであれば、日本側は完全否定すればいいが、わずかでも強制労働の事実が存在したのであればその事実を重く受け止めるべきだ。少なくとも強制労働はなかったと堂々と開き直ってはいけない。「強制労働の事実は確かにありましたけど、その規模については韓国側の主張とは異なると思います」と日本側が謙虚に反論するべき話だ。

このいわゆる戦時徴用工問題は、強制労働かどうかということだけでなく、当時の労働環境の悪質性が最大の問題なのだ。これは韓国人労働者だけでなく、日本人労働者に対しても同じく考えなければならない問題なのである。

軍人を除く日本人は戦時中のことは全て我慢せよ、という受忍論という理屈で、日本政府は一般国民からの賠償請求は一切認めていない。軍人のみが恩給をもらうことになり、一般の日本国民は戦争で被った被害について一切賠償されない形（いくつかは特例法ができた）で戦後を歩んできた。

今、大空襲で被害を受けた人たちが声を上げている。裁判では国への賠償請求はことごとく否定された。戦時のことは国民全員で我慢すべきだと。ゆえに今度は特別の法律を作ろうと活動をしているが、その法律もなかなか成立しない。

世界を見渡すと、先進国においては、戦争で一般国民に被害が出た場合には、国が補償することが通常であり、そのような法律を制定している。日本にはそのような法律が存在しない。国民の意識の中に、戦時中の被害は我慢すべきというものが根付いてしまっているのだ。

本来、戦時の国の行為による国民被害について、国民が賠償を求めて声を上げるのが普通なのに、日本人がそれをやっていないだけ。このいわゆる戦時徴用工問題についても、日本人労働者に対する劣悪な労働環境問題として日本人も声を上げてもいいはずなのに、当時は仕方がなかったという認識なのだろう。だから韓国人労働者に対してもつべこべ言うなという意識なのだと思う。

日本政府は国際司法裁判所に訴える意向も示しているが、「強制(=徴用)じゃないので日本は何も悪くない!」と主張するだけでは、国際的な司法の場では赤っ恥をかく。

法的な論争をするなら、そうではなく、当時の労働環境がどうであったのか、それは当時の世界の主要国のそれと比べてどうだったのか、日本だけが特別に労働環境が悪かったのか、それとも当時の世界の主要国と同レベルだったのか、という比較検証を冷静に行わなければならないのだ。

確かに第二次世界大戦当時に比べて現在の労働環境は世界各国で格段に改善されている。それが社会の進歩というものだ。だから今と比べて当時の日本の労働環境が悪かったと言われても、それはなかなか日本も受け入れがたい。

日本としては、当時の世界の主要国の労働環境も悪かったんだと言いたくなる。しかし、当時の日本の労働環境が世界の主要国レベルに達していなければ、そこを非難されても仕方がない。強制（＝徴用）がなかったから日本は何も悪くない、ではなく、日本の労働環境は当時の世界の主要国と同レベルだったのでそこまで非難されることは勘弁して欲しいというのが論戦の防御ラインだ。ゆえに当時の世界の主要国との比較が重要になるのである。

論戦する際には攻撃ラインと防御ラインというものを適切に設定しなければ簡単に論戦に負ける。特に防御ラインの設定には「フェアの思考」が必要だが、この点は後述する。

法的な論争とはある種のケンカである。ケンカで勝つには、自分の強み、相手の弱みを知るだけでなく、「自分の弱み」「相手の強み」まで知った上で、準備をきっちりと行うことが必要である。

ところが、今の日本政府や多くの国会議員はそのような複眼的な主張をするのではなく、「1965年の日韓請求権協定によってこの戦時徴用工問題は完全に解決しているのだから、日本企業は一切支払う必要はない」としか言わない。日韓請求権協定は、日本が韓国に対して3億ドルの無償供与、2億ドルの有償借款をすることによって、日韓の経済的清算は完全かつ最終的に解決されたと定めているので、メディアを通じてそれ一辺倒の主張を聞いている日本国民の多くも同じように考えていると思う。

僕が心配なのは、日本政府や国会議員、そして日本国民も、法的な論争においては日韓請求権協定を持ち出せば「日本が必ず勝つ」と信じ込んでいることだ。しかもその理由として「日韓請求権協定によって完全かつ最終的に解決されているから」とバカの一つ覚えのように言うだけ。

自分の有利な点、相手の弱い点ばかり考える者は、ケンカに勝てない。だから法的論争に勝つためには「相手の立場に立って考えて」自分の弱み、相手の強みまでを把握する「フェアの思考」が必要不可欠なのである。

日韓問題における日本の決定的な弱点

以下、日本が韓国に対して法的な論争で勝つために、あえて「日本の弱み」「韓国の強み」を探し出してみる。これは勝つ弁護士であれば当然持っている、相手の立場に立って考える「フェアの思考」だ。

1965年の日韓請求権協定によって合意したのは、日本政府と韓国政府。いわゆる国家と国家の合意だ。よって日本政府と韓国政府は、以後お互いに請求はしないとしたこの協定に拘束され、国家が相手国家に対して賠償請求することはお互いに原則許されない。この協定では、協定自体に疑義がある場合には外交交渉をし、それでも解決できない場合には仲裁機関や国際司法裁判所を活用することになっている。

このように1965年の日韓請求権協定が日本政府と韓国政府という国家を法的に拘束するものであることは間違いないが、では韓国国民はこの日韓請求権協定にどこまで拘束されるのか。

ここで日本人のみなさんも自分事として考えてみてほしい。もしあなたが、自分の財産や何らかの請求権を、日本政府が取り上げたらどうするか。

たとえば、あなたがアメリカ政府に違法行為をされたとする。あなたはアメリカ政府を訴えたい。でも日本政府とアメリカ政府が、あなたがアメリカ政府に請求できないような協定を結んだら、あなたは納得するか。いや大激怒すると思う。「日本政府が何で私たちの請求権を取り上げるのか！」と。

さらに、日本政府の首相が選挙で選ばれていない、非民主的な存在だったらどうか。「私たちは、あんたら日本政府など信任していないぞ！」と叫ぶだろう。

1965年の日韓請求権協定は、日本政府と韓国政府という国家間の和解だ。この和解に国民がどれだけ拘束されるかは、まずはその和解を行った政府が、どれだけ国民を民主的に代表しているかによって影響される。

政府が国民を拘束できるのは、国民から代理権を与えられているからだ。これが民主国家の大原則。日本政府が行うことに関して、賛否両論はあるし、むしろ腹の立つことはいっぱいある。それでも日本国民全体が日本政府のやったことを渋々了解するのは、日本政府が選挙を通じて国民を代表している政府であることを日本国民が認識しているからだ。

では１９６５年当時の韓国政府はどうだったか。きちんと韓国国民を代表している政府だったと言えるのか。

韓国が実質的に民主化したのは１９８７年６月29日の民主化宣言以後の大統領選挙のときからである。１９６５年に日韓請求権協定を締結した朴正熙《パクチョンヒ》大統領は、軍事クーデターと軍内部の権力闘争によって大統領の地位を獲得し、その後直接選挙が行われているが、政権が政敵を力ずくで逮捕するとか、暗殺事件が起きるとか、今、僕らが非民主国家とレッテルを貼る国と同じような状況だった。

先に述べたように、政府の行為に国民が納得するのは統治者（政府）と被治者（国民）の同一性がきちんと確保されているからであって、この同一性を確保するのが選挙であり、それが民主主義である。

日韓請求権協定時の韓国は選挙のない軍事政権であり、統治者と被治者の同一性が世界の民主国家と同レベルに確保されていたとは到底評価できない。そんな状態で、朴大統領は強引に日韓請求権協定を締結し、韓国国民の日本に対する請求権を取り上げたのである。当時、韓国内では猛烈な反対運動が起こり、朴大統領はそれを戒厳令で鎮圧した。

僕は、日韓請求権協定の締結自体は当時の韓国政府の選択として正しかったと思っている。日本から供与された資金によって韓国は漢江《ハンガン》の奇跡と呼ばれる経済成長を果たした。そのことが今の韓国の基礎にあると言われている。しかし、韓国国民が納得するかどうかは別問題だ。今も韓国では、独裁国家時代の政府の行為を否定する現象が続いている。

これは韓国国内の事情であり、他国である日本に対して堂々と強く言えるものではないかもしれないが、1965年当時の韓国政府には、決して強固な民主的正統性があったわけではなかった。このことを韓国側から主張されると、政府は国民によって信任されていることを大原則とする成熟した民主国家の日本としては完全に無視できるものではない。日本はこの点を頭に入れて韓国と論戦しなければならない。

我慢し過ぎる日本人

一方、「1965年当時の韓国政府に仮に民主的正統性が弱くても、一応政府は政府である。ゆえに韓国政府と日本政府の合意は有効であり、ある程度韓国国民を拘束する」と日本側の立場で考えたとしよう。そうだとしても、政府の行為によって国民の財産や請求権を消滅させることができるのか。

日本の論調は、1965年の日韓請求権協定によって、政府の請求権のみならず、国民の請求権も全てなくなった、日韓間の請求権問題は全て完全かつ最終的に解決されたと解しているものがほとんどだ。

しかし話はそう簡単ではない。個人の自由、個人の権利を保障する近代民主国家においては、政府が個人の財産や請求権を消滅させることは簡単には許されない。もし何らかの事情で個人の財産や個人の請求権を政府が奪うようなことがあれば、政府は個人に対して補償をしなければならないのが原則である。

敗戦後、近代民主国家として日本を生まれ変わらせるために1947年に効力が発生した日本国憲法は、29条1項で個人の財産権を保障し、同3項は政府が個人の財産権を奪う場合には正当な補償をしなければならないと定めている。

第二次世界大戦、太平洋戦争において、日本国民は筆舌に尽くしがたい、多大なる損害を被った。これは日本政府の責任であることは間違いない。しかし日本政府は国民に対する補償については非常に曖昧な形にしてしまい、日本国民も戦争による被害を「仕方がなかった」とのみ込んでしまった。先に述べたように、世界の先進国、民主国家においては、戦争で被害を被った自国民に対してきちんと補償する一般的な制度が存在するが、日本には特例を除いて、それがない。

これは日本国民のある意味で奥ゆかしい国民性の現れであると同時に、政府を付け上がらせる悪い点でもある。国民の戦争被害について政府がきっちりと責任を取らされる厳しさを経験しなかったがゆえに、その後も国民の被害を甘く考え、日本政府が国民を舐めてかかる態度につながっていると僕は考える。

戦争被害を被った国民は、本来、自国政府に対して怒り狂ってもおかしくない。戦争によって自分たちの財産が奪われただけでなく、最愛の者の命まで奪われたりしたのだから。このような筆舌に尽くしがたい肉体的苦しみ、精神的苦しみを味わった人たちがごまんといるのに、それに対して日本政府はどんな対応を取ったのか。軍人に対しては莫大な税金を使って恩給を支給することにしたが、一般国民に対しては知らん顔である。戦争で国民全体が被害を被ったのだから、そこは我慢しろ、という受忍論を振りかざした対応だった。

日本人の多くは、我慢した。もちろん裁判に訴えた国民もいた。日本政府を訴えた裁判は、裁判所によってことごとく敗訴となった。裁判所も「戦争被害は国民全体で我慢するもの」という受忍論を確立させて国民敗訴、国勝訴を確定させた。

そこで戦争被害者たちは新しい理屈を作り出した。

「本来は加害行為を行ったアメリカなどの連合国を訴えたいところだが、1952年のサンフランシスコ講和条約の発効によって個人の請求権がなくなってしまった。日本政府の講和条約締結行為によって我々が連合国を訴える請求権がなくなったのだから、日本政府がその分を補償すべきだ」と主張したのである。極めて合理的で説得的な主張である。

そのときに日本政府は次のように反論した。「講和条約は国と国との約束であり、日本国民の個人の請求権には影響はしない。つまり国民個人の請求権を日本政府が奪ったということはない。よって日本政府が日本国民に補償する必要はない」と。

要は、個人としてやるならアメリカでもソ連でも訴えたらいい、という突き放しだ。

このような日本政府の主張は、実は1990年代まで在日韓国人の個人の請求についても同じように行われていた。「1965年の日韓請求権協定によって個人の請求権は奪われていない。ゆえに日本政府は在日韓国人にも補償しない」と。日本政府は、どうせ個人の請求が裁判で認められることはないと高を括って、「政府は個人の請求を奪っていないのでどうぞ裁判でもなんでもやってください。だから補償はしません」と言い放ったのである。

認めるべきは認め、主張すべきは主張する

ところが2000年以降、日本の裁判所において韓国人、中国人の個人の請求を認め得るような裁判例が出始めた。すると日本政府は、今までの主張を180度転換させ、「日韓請求権協定や1978年の日中平和友好条約によって個人の請求権は全て消滅した」と言い始めたのだ。

日本国民に対して補償したくないので、最初は「個人の請求権は国と国とで締結した条約によっては消滅しない。政府は個人の請求権を奪っていないので補償はしない」と主張したのに、次は韓国人、中国人の請求を認めたくないので「個人の請求権は条約によって消滅した。だから賠償金は支払わない」と主張する。完全に二枚舌だ。

このような流れの中で2007年、日本の最高裁において、戦時中の中国人労働者が、日本の企業に強制労働させられたことを理由に賠償請求した訴訟の判決が出た。

驚くことに、この日本の最高裁の判決は、1965年の日韓請求権協定があるにもかかわらず日本企業の賠償責任を認めたことで現在の日韓問題の象徴となってしまった韓国大法院（最高裁）のいわゆる戦時徴用工判決と同じ論理構造となっているのである。

そこで国家同士の平和条約・講和条約という一種の和解条約と個人の賠償請求権の関係についてのこの日本の最高裁の考え方を理解しておくことが、韓国大法院のいわゆる戦時徴用工判決についてフェアに思考するスタートになる。以下、日本の最高裁判決を要約する。

①日中平和友好条約によって日中の国家同士は、今後お互いに何らの請求もなし得ない。
②ただし平和条約・講和条約によっても、国民個人の賠償請求権は完全には消滅しない。
③戦争中の被害に関する賠償請求権について、被害者が適切に権利行使できない事情がある場合には、時効は消滅しない。
④しかし平和条約・講和条約というものは、後に民事訴訟が乱発することを避けるために締結されたものであり、個人の賠償請求権は消滅しないものの、民事訴訟で解決することはできない。
⑤民事訴訟で解決はできないが、個人の賠償請求権は完全には消滅していないのであり、被害者の被った苦痛を考えれば、その救済に向けて加害者は適切な対応をすべきである。

要は、「裁判所では救済できないものの、国民個人の請求権は完全にチャラにはなっていないし、時効にもかからない。そうである以上、被告企業が裁判外で誠実に対応することを期待する」という判決だ。法的に強制できるものではないが、当事者間に請求関係は残っているといういわゆる自然債務の法理を活用したのだ。

つまり、日本の最高裁は「日中平和友好条約によって全て解決済み」「中国人の請求は一切認めない」という態度は取っていない。この最高裁の判決を受けて被告の日本企業は戦時中の中国人労働者である原告たちと和解をした。

韓国大法院が出したいわゆる戦時徴用工判決問題について、「1965年日韓請求権協定で全て解決済みなので日本企業に賠償責任は一切ない！」と威勢よく主張している日本政府や国会議員、そして威勢のいいインテリたちはこの2007年の日本の最高裁判決をしっかりと勉強すべきだ。

彼ら彼女らは、いわゆる戦時徴用工判決において「日本企業で働かされていた原告の韓国人労働者たちは徴用（＝強制）されていたわけではないので日本企業には全く問題ない」ということも言いたいのかもしれないが、2007年の日本の最高裁判決が示している通り、日本企業が劣悪な環境で労働させていたのであれば、徴用（＝強制）かどうかにかかわらず、日本企業に責任が生じるのである。

つまり追及・非難の対象は徴用（＝強制）ではない。企業の労働環境の劣悪性、すなわちブラックな労働環境の実態に対してなのだ。

国と国が和解したサンフランシスコ講和条約があるから、日韓請求権協定があるから、日中平和友好条約があるから、「お前ら一個人は今頃になってガタガタ言うな！」「日本には全く責任はない」という態度は日本の最高裁の判決と完全に矛盾するのである。

韓国側から「日本の最高裁も講和条約・平和条約のような国家と国家の和解があるからといって個人の請求権が完全に消滅したとまでは言っていませんよ」と言われたら、日本はどのように反論すべきか。ここをしっかりと理論武装しておくためにも、相手の立場に立って考え、自分の主張の弱点を探る「フェアの思考」が重要になる。

2022年3月に韓国の大統領選が行われ、尹錫悦大統領が誕生した。尹大統領はこの戦時徴用工判決問題を解決すべく韓国国内で協議会を立ち上げた。日本側も「フェアの思考」をもって対応する必要がある。

「フェアの思考」をもって認めるべきものはきちんと認めて、主張すべきところはガッツンガッツン主張する。これが対立が激化している問題について論争に負けずに、解決へ導くための折り合いを見つけ出していく基本原則だ。

当該日本企業が当時の世界の主要国の企業と比べて特にブラック企業だったならば、徴用（＝強制）をしていたかどうかにかかわらず、一定の責任があることを認める。その上で、1965年の日韓請求権協定があることから、法的な強制は行うべきではなく、仮に法的な強制が実行されたならば、裁判外において補償すべきと主張する。それなら韓国も反論できないはずだ。

もちろん当時の世界の主要国の企業と比べて労働環境が特段悪いものでなければ、当該日本企業には一切の責任はない。これも韓国側は一切反論できないはずだ。

このようなフェアの思考に基づく論戦を挑むのではなく、「日韓請求権協定があるから日本には何の責任もない！」「徴用（＝強制）でないので何の責任もない！」という言い方だけではお互いの正義がぶつかり合う不毛な議論に終始する。

ブーメランが返ってくる態度振る舞いをやめる

「相手の立場に立って考える」フェアの思考とは、端的に言えば「自分にブーメランとして跳ね返ってくるような態度振る舞いはやめておこう」ということだ。

ただし、言うは易く行うは難しである。たとえば、新聞の論調。たっぷりとお勉強を積んできて、それなりに知識を持って新聞紙面で主張を展開している人たちでも、フェアな態度を貫くというのはなかなか難しい。

かつて朝日新聞や毎日新聞は、沖縄県知事選挙において米軍普天間飛行場の辺野古移設に反対する玉城デニーさんが勝利した際、「これが沖縄の民意だ！　辺野古移設を思いとどまれ！」と叫んで選挙結果を強調した。にもかかわらず、僕が大阪都構想を掲げて2011年の大阪市長選で勝利した際は「選挙結果が全てではない。反対意見があることもしっかりと考慮せよ！」と叫んで選挙結果を軽視した。これは明らかにアンフェアである。

読売新聞は、元日産自動車会長のカルロス・ゴーンさんが身柄を勾留されていたとき、日本の身柄の勾留について世界的に批判が高まっていることを受けて、日本の勾留とフランスの勾留の違いを丁寧に解説した。そして日本の検察庁の「国々によって制度は異なるので、日本の制度が外国のものと異なるからといって直ちに批判されるものではない」という釈明をしっかりと掲載していた。

そうであれば、中国が何かにつけて同じように「国々によって制度が異なるので、中国の制度が西側諸国と異なるからといって直ちに批判されるものではない」と言い訳することに対して厳しく批判するのはアンフェアだ。読売新聞には検察擁護、中国批判という結論が先にあるので、主張に矛盾が生じてしまうのだ。

産経新聞は、韓国の主権を制限する1910年の日韓併合の合法性をことさら強調し、「だから韓国は併合時代のことをいまさらごちゃごちゃ言うな」という論調である。そうであれば、太平洋戦争の敗戦後、国際社会の合意に則ってアメリカなど連合国が日本を占領したことや、その間連合国が日本にしたことについて今さらごちゃごちゃ文句を言うべきではない。

ところが産経新聞は連合国の占領政策、特に憲法制定過程については日本の主権が制限されていたことを理由に様々批判する一方、韓国の主権を制限した日本の韓国併合政策については完全に正当化する傾向が強く、これもやはりアンフェアだ。

どれだけ立派な人でも、自分の主張の正当性をどうしても強調したがる。ゆえに、自分の主張を正当化するために使える理由は何でも使ってしまう傾向に陥り、実はその理由はかつて相手を批判するポイントだったという事態が生じてしまう。相手を批判する際に指摘した相手の態度振る舞いを、自分の主張を正当化するために今度は自分がやってしまうということは多々あるのである。

こんな風に偉そうに言っている僕自身も、完全にフェアな態度を貫けているかと言えば、そうではないだろう。

それでも僕はフェアを一番強く意識してこれまで生きてきたつもりだ。自分がやられて嫌なことを、先に相手にしたことはない。僕がこれまで相手にやってきたことは、全て自分がやられても仕方がないと思っているものばかりだ。自分がやられるのは嫌だが、相手にはやるというアンフェアな態度は大嫌いだ。

相手を批判するなら、同じ理由で自分が批判されることは当然だ。自分はやったのに、相手がやれば批判するということもアンフェアだ。

また自分でもできないようなことを、相手に求めるのもアンフェア。これまで相手に求めてきた理屈は、たとえ自分が不利になるものでも自分にも当てはめて、不利な結果を甘受することがフェアな態度だ。

これが「フェアの思考」というものであり、僕はこの点を強く意識しているので、相手から即座のブーメラン返しを食らった覚えがない。

絶対に「卑怯」になってはいけない

さて、もう一度、韓国大法院のいわゆる戦時徴用工判決問題に戻る。

戦時中の中国人労働者の強制労働に関して2007年の日本の最高裁判決は、徴用（＝強制）かどうかにかかわらず、劣悪な労働環境だった日本企業に責任が生じることを示した。そして賠償問題は民事訴訟において強制的に解決し得ないとしたものの、加害者は被害者に対して、裁判外において誠意をもって対応すべきであるという考えを示している。

実際、この訴訟の被告（最高裁では上告人）となった西松建設は原告である戦時中の中国人元労働者に対して和解金を払った。また、三菱マテリアルも和解金を払っている。これらの日本企業は、戦時中、労働者に対する安全配慮義務に違反する形で労働させていたことを認めた。これは中国人元労働者を強制連行したかどうかということよりも、労働環境自体が違法であったことを問題視したのである。

労働者がたとえ自らの意思でその企業に勤めたとしても、違法な労働環境で働かされれば、それは賠償請求の対象になる。ブラック企業に自らの意思で勤めた者が、その企業のブラックさを訴えるのと同じである。その際、「自分の意思でそのブラック企業に勤めたのだから、どれだけブラックであってもごちゃごちゃ言うな！」という反論は全く通らない。

つまり、強制労働ではないから全く問題ないという言い訳は通用しないのであって、本件において、強制（＝徴用）か否かを論点設定することは全く意味がないのだ。にもかかわらず、強制（＝徴用）か否かにこだわりつづける日本の国会議員や威勢のいいインテリたちは論戦の勝負所を理解していない。

確かに日本企業が中国人元労働者に和解金を払ったのは、中国市場は大きいし、中国での企業活動に対して中国共産党・中国政府が多大な影響力を有しているから中国ビジネスを考慮したことも背景にあるだろう。中国で揉めごとをなるべく起こしたくないという気持ちが企業経営者に強く働くのはある意味当然のことである。

しかし、2007年に日本の最高裁が示した、国家同士の和解によって国民個人の請求権は消滅せず、時効にもかかわらず、ただ法的には強制できないので、当事者間で誠意ある解決を目指して欲しいという判断は、韓国人元労働者に対しても適用されるべきだ。もちろんこれは日本人労働者にも妥当する論理である。

企業ごとに考え方も異なるだろうが、中国人元労働者に対する態度と韓国人元労働者に対する態度を異にするのはアンフェアだ。もし異にするのなら、その理由をきっちり説明しなければならない。中国と韓国の国力の強さによって態度を変えたなら、それは卑怯極まりない。

そこで1965年の日韓請求権協定後も個人の請求権は消滅せず、時効にもかからないだろうが、戦後処理を混乱させないために法的な強制はできないことにしたのが法理論のはずだ、というフェアな姿勢で韓国と協議をしていくべきだ。そしてどうしても韓国の納得が得られない場合には、最後は「法的な考え方の違いについては、申し訳ないが国際司法裁判所で解決しましょう」と提案することになる。

「フェアの思考」に基づいて日本の最高裁判決の論理をしっかりと理解すれば、日韓請求権協定があるのであとは知らん、という態度には決してならないはずである。

植民地支配に対する韓国の反発を日本は批判できない

日韓関係がこじれる根本原因は、1910年日韓併合条約、すなわち日本が韓国を植民地としたことについて、日韓双方の認識が決定的に異なっていることにある。

韓国としては日韓併合条約がどうしても許せない。日本の植民地になったという歴史は絶対に甘受できないというのが、いわば国の柱・アイデンティティになっている。通常は日韓関係を冷静に見ている韓国人たちでも、この植民地の話が出たとたん反日感情が牙を剝く。

僕は、1910年の日韓併合条約は政府間の合意として合法だったという持論だ。だからと言って、韓国国民が納得しているかどうかは別問題である。僕の持論はあくまでも日本側からの見方なので、相手の韓国側の立場からの見方とは異なるだろう。

韓国側では、1919年3月1日に、3・1独立運動という、日本の植民地政策に反対する大規模な独立運動が展開された。その際上海には、日本の朝鮮総督府とは別に、大韓民国臨時政府というものが亡命政府として設立された。この中心メンバーの一人が、第二次世界大戦後に初代韓国大統領に就任した李承晩《イスンマン》氏だ。現在の韓国の憲法の前文には「韓国という国は、大韓民国臨時政府を継承している」とある。すなわち今の韓国という国は、日本の植民地時代を全否定する「韓国国民の総意」から始まっている。

現在に至るまで、日韓併合条約が合法か違法かについては日韓間で決着がついていない。日本は合法、韓国は違法とする立場である。1965年の日韓請求権協定では、どちらとも確定せずに、どちらにも読める曖昧な文言として、とりあえず和解することを第一目標として合意した。ゆえに、韓国が韓国の立場で日韓併合条約を違法で無効だと主張することに問題はない。

僕は韓国国民が日韓併合条約は絶対に納得しないと言うのであれば、それ以上、韓国国民に対して納得せよと言うつもりはない。植民地にされたことを屈辱だと感じ、それは絶対に受け入れられないという感情も分かる。しかも現在、日本は自分たち韓国よりも明らかに強い相手ではなく、ある意味ライバル的な存在であり、その者によって過去に植民地にされたということは絶対に認めることはできないのだろう。

こうした韓国の立場を全く無視して、今の韓国の姿勢を強く批判している日本の勢力はそもそもどんな面々か。彼ら彼女らの多くは、太平洋戦争の敗戦後、東京裁判（極東国際軍事裁判）を経て連合国に占領されたことに、ことさら文句を言っている連中である。「日本の自主独立性が占領によって奪われた！」と。そして第二次世界大戦後の国際秩序を形成する過程において、国際条約に基づく東京裁判において日本の侵略性が認められたにもかかわらず、その東京裁判を全否定し、日本の戦争の完全正義論を振りかざす。

さらに国際社会の合意に基づく連合国による占領についても色々と文句を言う。日本の教育がおかしくなった、日本の社会がおかしくなった、日本の伝統文化が壊された、日本人の精神性がおかしくなった、憲法が押し付けられた、などなど。日本の自主独立性が制約されたことを強く恨み、その反動なのか日本の歴史・伝統文化の素晴らしさをことさら強調し、他国のそれよりも優越していると強く自慢する。

加えて19世紀の帝国主義時代、日本が他国の植民地にならなかったことを絶対的な優越性として過剰に誇りに思う。そして中国や韓国に関しては「強気で行け！」と主張するが、アメリカに関しては「アメリカとの協調関係・同盟関係を大切にしろ！」と言う。そんな面々が、「日韓併合条約は合法なのだから、今さら韓国は当時のことをとやかく言うな！」と叫び、韓国、特に文前政権の姿勢を罵倒に近い形で批判しているのだ。

しかし、このように韓国、特に文前政権を罵倒している日本の面々が行っている主張、姿勢はまさに文前大統領の主張、姿勢と瓜二つなのである。１９６５年日韓請求権協定という国際条約をひっくり返す。合法的な植民地政策を全否定し、民族の独立、韓国の歴史伝統文化の優位性をことさら強調する。強い中国にはあまり文句を言わないが、ライバル国である日本には強気の姿勢を崩さない。

文前大統領のような政治家が日本に現れたら、今、韓国を罵倒している日本の面々は、それこそ拍手喝采、大歓迎となるのではないか。彼ら彼女らが日本において主張していることを、文前大統領は韓国大統領の立場で韓国において主張していただけであり、言っていることの本質は同じなのだ。

韓国を強烈に批判・罵倒している日本の面々は、韓国の立場に立って考えることができないので、実は文前大統領と同じ主張なのに、自分たちが言っていることは絶対的に正義、文前大統領が言っていることは絶対的な不正義と決めつけているだけなのだ。

これはまさにアンフェアの思考・態度の典型例であり、韓国側から「あなたたちも結局私たちと同じことを言っているでしょ」と簡単にブーメラン返しされてしまうだろう。

韓国に対して日韓請求権協定を遵守するように求めるなら、日本も東京裁判を受け入れなければならない。日韓併合条約の合法性、韓国の主権の制限を認めるように主張するなら、国際社会の合意に基づいて行われた連合国による日本占領や日本の主権の制限も認めなければならない。日本において国会や内閣が最高裁の判決に従う三権分立の仕組みを尊重するのであれば、韓国政府が韓国大法院の判決に従うことを認めなければならない。日本が植民地になっていないことを誇りに思い、逆に植民地になることを屈辱に思うのであれば、韓国が日本の植民地化を屈辱に思い、それを否定する感情を認めなければならない。

これが「フェアの思考」というものであり、これらを前提とした上で、韓国との論戦に挑むべきだ。そうすれば、韓国からブーメラン返しの反論に遭うことはなくなるし、お互いの正義だけがぶつかり合う非生産的な議論を避けることができるだろう。

僕が戦前・戦中の日本の政治行政を忌み嫌う理由

人間は悲惨な戦争の歴史から、戦い方にも一定のルールを作り始めた。それは第一次世界大戦後に顕著に現れた。戦争とは人を殺す行為である。しかしその殺し方に一定のルールを設けた。一定のルールを守ることを求めながら、敵国に対する殺害行為を正当化したのである。もちろん通常兵器による無差別爆撃や原爆投下など、そのようなルールが守られていない戦闘というものは実際たくさんあるが、それも「戦争の現実」というものだろう。

これらは敵国に対する国際ルールであって、ルール違反については一応戦争犯罪裁判で責任を問われている。しかし自国民に対するルールではないので、実は、国家が自国民に対して行った非人道的・残虐的な行為については有耶無耶になっているのだ。すなわち日本の戦争指導における国民への責任というものが有耶無耶になったまま現在に至っている。

僕が日本の戦前・戦中の政治行政を忌み嫌う理由はまさにここにある。

戦前・戦中の日本政府は、自国民を守ることに全力をあげなかった。国体護持という抽象的なものを戦争の第一目標に定め、国体を護るためなら自国民の犠牲はやむなしという国家運営方針を貫いた。そのことによって310万人にものぼる国民の命が犠牲となった。その裏で、軍部の幹部などは生き残り、戦後の日本社会を謳歌した。

沖縄戦も特攻隊もその他の戦略性のない作戦行動も、全ては自国民を犠牲にすることを安易に考えた結果だ。挙げ句の果てには本土は大空襲を受け、とどめは広島、長崎の原爆投下だ。ここまでやられても日本の戦争指導者たちは決断できず、最後は昭和天皇の決断によって終戦となった。

戦闘行為は自国民を守るためにある。このことを肝に銘じない戦争指導は、必ず一般国民の犠牲を安易に考えるようになる。

僕は二度と一般国民が安易に犠牲になることのない政治を望み、そのためには政治の仕組み、社会の仕組みをどうしたらいいのかを常に考えている。たどり着いたのは、最後は国民の意識次第によるということだ。

ロシアによるウクライナ侵攻においても、とにかくロシアの蛮行を止めなければならない。そこについてウクライナはもちろん、世界各国の認識は一致している。

問題はそのやり方だ。一つはロシアを軍事力で跳ね返すこと、倒すこと。もう一つは、経済制裁でロシアを追い詰めること。さらには戦闘を継続しながらも、政治的妥結を模索すること。

現在は軍事力と経済制裁が主となっている。

ウクライナ軍は士気が高く、NATO（北大西洋条約機構）による積極的な武器支援もあって当初の予想を超えて善戦している。この点ウクライナ兵士には敬意を表する。

ただしいざ戦争が始まってしまうと、国民はとにかく勝利を望む。自らの最愛の者の命が奪われ、郷土が破壊されればされるほど、敵国への憎しみが増し、敵を倒すことが至上命令となる。それが戦争というものだ。

そして、いつの間にか敵国を倒すためなら自国民の犠牲もある程度やむなしという感情が生まれ、それが世論として醸成される。敵国を倒すことが単なる恨みだけではなく、祖国愛や、自由・独立・尊厳、さらには国際秩序を守るためという抽象的な理念になればなるほど、ある程度の自国民の犠牲はやむを得ないという国民意識になってくる。

太平洋戦争時の日本が国体護持を戦闘の目的に掲げ、多大なる国民の犠牲が生じたことが典型例だ。

そうなると一般市民の犠牲に歯止めがかからなくなる。この戦闘を有利にするために、この部隊には犠牲になってもらう、この兵士には犠牲になってもらう、この地域の住民には犠牲になってもらうという国民意識が増幅し、それを汲んだ戦争指導部は一般市民の犠牲に鈍感になってくる。そして、少しでも戦闘が有利になったのであれば、その犠牲は効果があった、と正当化し続ける。

今ここにある命のために、国はある

特に一定の安全が確保されている場所にいる戦争指導者や、今殺されるかもしれない状況にない国民、ましてや他国の国民などは、一般市民の犠牲はある程度やむなしという気持ちに流れやすい。

しかし今殺されるかもしれない状況になった市民はどう思うか。どれほど悲惨な恐怖の状況か。犠牲になる兵士はどうか。そしてその家族、遺族は。遺族たちはその後何十年、この悲しみを引きずるのか。

現在の種々の報道を見ると、砲弾が降り注ぐ激戦地の住民は、愛国心よりとにかく生き延びたいという思いで命からがら避難してきた事例が無数にある。ロシア軍の兵士の士気の低さは西側諸国では当初から報道されてきたが、最近ではウクライナ軍の兵士の脱走事案や、武器も渡されずに自殺的な戦闘を強いられたことに対する不満も報じられるようになってきた。抽象的な愛国心や命よりも大切なものがあるというフレーズだけで語ることができないのが戦争の現実であろう。

確かに敵国を今倒さなければ、後に自分たちが虐殺されるかもしれない恐怖はあるし、国際秩序というものが保たれなくなる危険もある。自由、独立というものが奪われることは命を落とすよりも悲惨だという考えもあるだろう。

しかし、僕はそれでも、現にある命を守るためにこそ戦闘行為があるものと考える。

この目的から離れた戦闘行為はいつの間にか一般市民の犠牲を安易に容認するようになってしまい、気づいたときには、戦争指導部や政治家や軍のために一般市民が犠牲になったり、戦争指導部や政治家たちが居住する都市を守るために他の一部地域が犠牲になったり、戦果に見合わないほどの莫大な犠牲を被ったりすることにつながっていくだろう。

だから常に軍事的合理性を考えた戦争指導が必要で、そのためには自国と敵国の力の比較、犠牲と戦果の見合いなどを戦争指導部が冷静に判断しなければならず、それは民主国家においては結局国民の意識にかかってくる。

武力による圧勝が望めるのであれば戦闘のみが選択されるであろう。しかし圧勝が望めないのであれば戦闘を継続するにしても、戦果と比較しながら一般市民の犠牲をどこまで容認するのかの冷静な計算に基づく戦争指導と政治的妥結の模索が必要なのである。

今回のロシアによるウクライナ侵攻を見ても、いざ戦争が始まってしまうと、ウクライナ国内はもとより、ウクライナを支援する西側諸国においてもウクライナの勝利、ロシアの敗北が至上目標になってしまい、そのためのウクライナの一般市民の犠牲はやむなしという強烈な空気が醸成される。

そのような空気の中で軍事的合理性を確保するには、常に一般市民の犠牲を意識する必要があり、そのためには「戦闘目的は今ある一般国民の命を守ることにある」と徹底する必要がある。そうすると一般市民の犠牲がないような戦争指導を行うべきだし、兵士以外の非戦闘員はまずは安全な場所に逃げることが先決となってくる。

この点、「祖国防衛のために国民一丸となって戦うべき！」「命よりも大切なものがある！」という抽象論を振りかざす者が多いが、それはかえって戦闘員の戦闘に支障を来すことになる。自衛隊や外国軍の関係者によれば、非戦闘員が交戦地に残っているようだと戦闘に集中できなくなるとのことだ。住民避難に部隊の力を削がなければならない事態も生じる。だから事前の計画に基づいて一定の任務を与えられ訓練を受けた非戦闘員以外は避難することが肝要なのだ。

このように軍事的合理性に基づく戦争指導が行われるようにするためには、勝利のためには一般市民の犠牲はやむなしという強烈な空気に抗う国民意識が必要になってくる。

自国民保護を離れた国家の戦闘行為は、狂暴な牙を剝き出しにしてくる危険が高いというのが僕の持論なので、それを止める国民意識の醸成に少しでも貢献できるような発信を今後も続けていきたいと思う。

第2章　フェアに「戦争」を考える

ロシアによるウクライナ侵攻とイラク戦争

ロシアによるウクライナ侵攻は、独立国の領土を武力で侵略した戦争行為である。当然西側諸国は一斉にロシアを批判・非難する。さらに西側諸国以外にも非難の声は広がる。

この場合、「フェアの思考」からすれば、相手の行為を「侵略行為だ!」「侵略国家だ!」と批判する者は、当然、自らも他国の領土を武力によって侵略していないことが大前提だ。

では西側諸国、特にアメリカはどうか。

2001年、アメリカはアフガニスタンを攻撃し、タリバン政権を倒した。この武力行使についてアメリカは、同年にアメリカで発生した9・11同時多発テロの首謀者をタリバン政権が匿っていることを理由に自衛権の発動だと主張し、国連安保理も異議を述べなかったという経緯がある。

しかしタリバン政権からすれば、自分たちはアメリカを攻撃したわけではないのに、アメリカが戦争を仕掛けてきたと見えるだろう。

2003年のイラク戦争はもっと深刻だ。アメリカは、大量破壊兵器の保有を理由にイラクを攻撃し、フセイン政権を倒した。ここでは国連安保理はアメリカに対して武力行使の権限を与えず、むしろ常任理事国である中国、ロシア、フランスからアメリカの武力行使に対して反対の声が上がった。にもかかわらず、アメリカは有志国を募ってイラクを攻撃してフセイン政権を倒し、占領統治を行ったのだ。そして主権を移譲したイラクの新政権によってフセイン大統領は処刑された。ところがその後、大量破壊兵器は存在しないことが明らかになった。

また少し遡るが、1999年、NATOは、人道上の理由を基に、セルビア・コソボの内戦に介入しセルビアを空爆した。内戦がNATO諸国に対する脅威になっていたことも理由にあげた。しかしこのとき、ロシアがNATOによる内政干渉だとして反対の声を上げたことによって、国連安保理はNATOの空爆を承認しなかった。この空爆によって多数の民間人が犠牲になり、国際世論として非難の声が上がった。

ロシアは2008年のジョージア侵攻や2014年のクリミア奪取を批判されると、アメリカや西側諸国も他国に対して武力行使をしているじゃないかといつも反論していた。特にイラク戦争やNATO空爆について、国連安保理は武力行使を認めていないし、イラク戦争では政権を倒して新しい政権の樹立までした。しかも多くの民間人も殺害している。この点、今回のロシアによるウクライナ侵略と何が違うのか？

もしイラク戦争やNATOの空爆には理由があると西側諸国が主張するなら、ロシアもジョージア侵攻やウクライナ侵略には理由があると主張するだろう。そしてNATO主要国にもロシアにも拒否権がある以上、NATOだけが正しくてロシアは悪いとか、逆にNATOは悪くてロシアだけが正しいという国連安保理の決定にはならない。この場合、NATOもロシアも自らの正義を主張し、相手の不正義を批判するばかりで、結局安保理では双方理由のない他国への武力行使を行ったということになる。

したがって、アメリカ・西側諸国が、ロシアのウクライナ侵略を非難するのであれば、自分たちが行った他国侵略についてもしっかりと非難しなければならない。もし自分たちが行った他国侵略を正当化するなら、ロシアのウクライナ侵略を非難することはできない。

これが「フェアの思考」というものだ。この思考に価値観や正義のぶつかり合いはない。相手を非難するなら、同じ理由で自分も非難せよ。自分を正当化するなら、同じ理由で正当化する相手の主張を認めよ、というただそれだけのことである。

日本の真珠湾攻撃はどうか

ロシアのウクライナ侵略を徹底して批判している日本人の中には、先の太平洋戦争における日本の行為を完全に自衛戦争だったと正当化している者が多いというのも今回の特徴だ。自分たちの正義だけを主張するアンフェア思考の典型で、ロシアは不正義、自分たちは正義と信じ切ってしまっている。

この点、日本の行為を正当化するのに、「日本の真珠湾攻撃は軍事施設を狙っただけであり、ロシアのように民間人に対する蛮行は働いていないので一緒にするな！」という反論が出ていた。

しかしここで問題なのは、軍事施設を攻撃したか、民間人を攻撃したかではない。自国が直接攻撃を受けたわけでもないのに、その他の理由をもって他国を武力によって攻撃したかどうかが問題なのである。

先に述べたアフガニスタン戦争も、イラク戦争も、NATOによるセルビア空爆も全て自国が直接攻撃されたわけでもないのに（アフガニスタン戦争は、アフガニスタン政権がアメリカを攻撃したのではなく、アルカーイダがアメリカを攻撃し、アフガニスタンはただそれらを匿っていただけだった）他国を攻撃しているのである。この点において、日本の真珠湾攻撃も同じである。

つまり、今回のロシアの侵略行為を非難するのであれば、日本の真珠湾攻撃も非難する姿勢が必要だし、逆に日本の真珠湾攻撃を完全自衛行為だったと正当化するのであれば、ロシアがウクライナ攻撃を自衛行為だと正当化することも認めなければならないことになる。

このような「フェアの思考」を抜きに、対立する相手と協議をしても、議論しなければならない議題に入る前の非難合戦で終わってしまう。厳しく非難しようとする相手から「私もあなたも同じだよ」というブーメラン返しを食らってしまう。

激しい議論になる相手と協議のテーブルに着く際には、特に「フェアの思考」が必要不可欠になってくるのである。

ロシアの主張に何と答えるか

２０１４年、ウクライナの親ロ派大統領ヤヌーコビッチ氏が民衆デモによって失脚させられたことを契機に、親ロ派武装勢力がウクライナ東部地域いわゆるドンバス地方の一部を実効支配した。ここにロシアがかかわっていたことは公知の事実だ。

その後、親ロ派はすかさず住民投票を行い、自治権拡大について住民多数の賛成を得た。この住民投票については武力による圧力がかかった不当なものというのが西側諸国の主張だ。2022年2月24日のロシアのウクライナ侵略の直前に、このドンバス地方の2州は国家独立の宣言を行い、ロシアは承認した。同時にこの2つの独立国家とロシアは軍事協定を締結した。

その上で、ロシアはこの2つの独立国家からの支援要請に基づき、国連憲章51条の集団的自衛権を発動し、軍事行動に出たという理屈を立てている。

もちろん西側諸国は全て認めていない。

ロシアのプーチン大統領は一貫して、セルビアのコソボ地域を西側諸国が独立させた事例を主張している。コソボは国連による暫定行政を経て、2008年に一方的に独立宣言をしたが、日本を含めた西側諸国の多くはその独立を承認した。

それに対して「セルビアという国家自身が国家内の一部地域であるコソボ地域の独立を認めていないのに、西側諸国は強引にコソボを国家承認したではないか。それならウクライナのドンバス地方の独立とロシアによる国家承認の何がおかしいのか」というのがプーチン大統領の主張だ（その前にジョージアの南オセチア、アブハジアもロシアは独立させている）。

そして「コソボ独立を支援するために人道上の理由（アルバニア人の虐殺）を基にNATOはセルビア内に空爆したのだから、ロシアもドンバスの新国家を支援するために人道上の理由を基にウクライナに軍事侵攻することの何が問題なのか」と主張する。

プーチン大統領は「フェアの思考」を利用して、西側諸国の痛いところを突いてきている。

このプーチン大統領の主張に対して西側諸国はなんと答えるのだろうか。

プーチン大統領が「フェアの思考」を活用してくるなら、こちらも「フェアの思考」で返していかなければならない。

まず、ドンバス地方の独立とそれを支援する軍事侵攻を否定するなら、コソボの独立とそれを支援する空爆も否定する。コソボの独立とそれを支援する空爆を否定しないなら、ドンバス地方の独立とそれを支援する軍事侵攻も否定しない。これが大前提だ。

ロシアによるウクライナ侵略を、国際秩序を維持する観点からも絶対的に否定するのであれば、西側諸国は前者の立場に立つほかない。そうなると、過去のNATOのセルビア空爆、西側諸国のコソボ独立承認については過ちだったことを認めなければならない。

もちろんコソボのアルバニア人を守る人道上の理由があったことはしっかり主張し、その代わりロシアが主張するようなドンバス地方のロシア人を守る理由も認める。ただし一方的な軍事侵攻による解決を否定する以上、その判断と解決措置は国際機関に任せるしかない。国際機関が本当に機能するかどうかはともかくとして、ロシアによるウクライナ侵略を非難するのであれば、NATOによるセルビア空爆の過ちも認めて、国際機関による解決を提案していくしかないのだ。

これが「フェアの思考」に基づく議論というものである。

ここで、西側諸国がコソボの独立と支援の空爆を正当化しながら、ロシアによるウクライナ侵略を非難するアンフェアな態度をとると、西側諸国とロシアは非難合戦に陥り、最後は武力によって相手を倒すことでしか解決できないことになってしまう。

さらに西側諸国がコソボ独立の必要性と理由を主張するなら、ドンバス地方の独立の必要性と理由も認めなければならない。ただしこの点も、地域住民の意思に基づくことを原則として、国際機関の監視の下の住民投票によって独立の是非を決定するルールとする。今般行われたドンバス地方の住民投票には不正の疑義がある。ゆえに国際機関監視の下での適切な住民投票のやり直しが必要だ。

そうであればコソボ独立においても同じく国際機関監視下での住民投票の手続きを踏む必要があることを認めなければならない。住民投票を経ていない国連による暫定行政では不十分なのである。

この点、たとえ住民の意思に基づくものであったとしても国家としてのウクライナは、領土の不可分・一体性を理由にドンバス地域の独立には猛反対するだろう。主権国家は国家の一体性を死守することが通常だ。これは洋の東西を問わない。国家の中の一部地域が独立する動きを見せれば、国家は最悪武力を使ってでもその動きを止めるのが常だ。

スペインはカタルーニャ地方の独立の動きを抑え込んだ。中国は一国二制度だった香港を中国に吸収し、台湾独立の動きに対しては強烈な牽制をしている。

ドンバス地域が独立することは絶対に認めないという主権国家ウクライナの意思を尊重するのであれば、コソボの独立は認めない主権国家セルビアの意思も尊重しなければならない。そうであれば独立までは認めず、ドンバス地方やコソボに高度な自治権を付与するところで止めておく。

国際機関の機能不全が叫ばれている中、これらのアイデアが本当に実現するかどうかは分からない。しかし重要なことは、激しく対立する相手と協議をするのであれば、「フェアの思考」に基づいた協議をしなければ、解決の糸口は何ら見出せないということである。「フェアの思考」に基づいてロシアの立場に立って考え、プーチン大統領の脳みその中を覗き込み、西側諸国のどの弱点を突いてくるのかを見極める。そしてそれに対する回答をしっかりと準備する。その際、自分たちの正義だけを振りかざして、簡単にブーメラン返しの反論に遭うことのないように注意する。

今回の件では、西側諸国のコソボに対する過去の態度が弱点だ。ゆえにロシア非難とこのコソボに対する過去の態度について、西側諸国は整合性をとる必要がある。その上で解決の糸口を見つけていく。

僕のこれまでの主張を改めて見てもらいたい。単純なロシア非難ではなく、西側諸国のコソボに対する過去の態度と整合性をとっていることを分かっていただけると思う。これらは「フェアの思考」があって、はじめてできることだ。

「フェアの思考」がなければ、コソボに対する過去の態度について簡単にブーメラン返しの反論を受けてしまい、その後は両者、自分の正義を振りかざし、相手の不正義を非難することに終始してしまうだろう。

一方、当事者の武力による圧勝が望めない限り、戦闘が継続する中でも政治的妥結の模索が行われる。政治的妥結とは協議に基づいて解決の糸口を探る作業であり、その際には「フェアの思考」が絶対的に必要不可欠だ。

「法の支配」が力をもつためには

今回のウクライナ侵略におけるロシアの蛮行、そして最近、南シナ海などで目に付く中国の実力行使に対して西側諸国は厳しく非難する。

「力による現状変更は認めない」と。

これは「力ではなく、法に基づく国際秩序に従え」という主張である。国際社会は弱肉強食の世界ではなく、法に基づく秩序ある世界にしようという趣旨だ。力ではなく法による統治。

では軍事力を擁する強大な国家に対してどのように法を守らせるか。

これが国内の話なら簡単で、国家は国民に対して法を守らせる「強制力」を持っているので法は守られる。

ところが国際社会には、拒否権を持つ国連安保理の常任理事国に対して強制的に法を守らせる機関が存在しない。ゆえに「法」を「自主的に」守ってもらうしかないのだ。

では、このような強大な軍事力を擁する安保理常任理事国のような国家に対してどのようにすれば自主的に法を守らせることができるのか。

力の強弱にかかわらず誰に対しても公平・公正に法が適用される、という大前提が強固であればあるほど、その法が自主的に守られる。

逆に法の適用が不公平・不公正、恣意的であれば、法の力は弱くなる。特に当事者の力の強弱によって法の適用が区別・差別されるようなことがあれば、「そんな法には従わない！」となる。

したがって、ある者に法違反の非難をするのであれば、自らも同じ法違反を犯してはいけない。自分の法違反を棚上げしたり不問に付したりするなら、相手の法違反も非難できない。自ら同じ法違反をしていたのであれば、その点をしっかりと改めた上で、相手の法違反を非難する。

これが法の支配を実行するための「フェアの思考」だ。西側諸国は、国際社会について法の支配に基づく世界にしようとしている。であれば、自らも厳格に法を守らなければならない。

人道違反と拒否権発動、国際刑事裁判所

ロシアの蛮行については人道違反という声が特に西側諸国から上がっている。民間人をあれだけ虐殺したのだから当然だ。しかしロシアを人道違反で非難するのであれば、自らに同じ人道違反がないか確認しなければならない。

自分の人道違反を棚に上げて、他人の人道違反を責めるのは、アンフェアな態度の典型だ。そしてロシアから「あなたたちも人道違反をやってきたでしょ」と言われてしまうと何も反論できなくなってしまう。

この点、西側諸国はこれまでかなりの人道違反をやってきた。

NATOのセルビア空爆では、民間人も殺してしまったので、国連安保理で非難声明を

出そうとしたが、最後はアメリカが拒否権を発動して、報道声明レベルに格下げになってしまった。

アフガニスタン戦争でもイラク戦争でも民間人が殺されたことは間違いない。ただ敵が中央アジアや中東だということや、当時は今ほどネットが整備されていなかった時代だったので、ロシアによるウクライナ侵攻のようにリアルに戦況が西側諸国には伝わらず、西側がやった人道違反の行為は注目されなかった。

今回、人道違反でロシアを非難するなら、西側諸国も自らの人道違反について深く反省しなければならないし、西側が自らの非を認めないなら、ロシアの非も責めることができないだろう。これが「フェアの思考」というものだ。

ロシアによるウクライナ侵攻において、ロシアの拒否権発動によって国連が全く機能しないことが話題となっている。これを機に国連改革が必要だという声も上がっている。ところがアメリカも拒否権を発動することはこれまでに多々あった。特にイスラエル・パレスチナ紛争について、イスラエルを責める国連安保理決議のときにはアメリカは拒否権を発動する。

ロシアの拒否権発動を非難するなら、アメリカの拒否権発動も非難しなければアンフェアだ。

また、ロシアのウクライナに対する無数の蛮行は戦争犯罪に該当する。この点、プーチン大統領やロシアの行為をどのように裁くことができるのか。

ロシアは国連安全保障理事会の常任理事国で拒否権を持っているので、安全保障理事会が設置する強制力を持った国際戦犯法廷を設置することは事実上できない。そうなると国際刑事裁判所によって裁くしかない。

プーチン大統領やロシアは国際刑事裁判所を不公平だと信頼せず、かつ国際刑事裁判所は強制力を持たない。ゆえにプーチン大統領とロシアは国際刑事裁判所からの要請を全て無視している。

プーチン大統領やロシアの態度に批判の声が強いが、実はアメリカも国際刑事裁判所を批判してきた。だからアメリカは国際刑事裁判所の条約を批准していない。特にトランプ前大統領は、「米軍兵士が国際刑事裁判所によって不当に裁かれることは許されない！」と強く反発し、国際刑事裁判所設置のための分担金の支払いを拒否するどころか、同裁判所の検事に対して制裁を科したほどだ。

戦争を行う国にとって国際刑事裁判所は目障りだ。戦争とは、常に殺人行為が伴う。ゆえに戦争犯罪と紙一重になる。だから自国の軍隊が国際刑事裁判所によって裁かれるリスクが高くなり、これを拒否する大国の典型がアメリカだった。

であれば今回、プーチン大統領とロシアが、自国軍隊が国際刑事裁判所によって裁かれることを拒否したとしても、アメリカはロシアを非難できなくなる。さらに国際刑事裁判所を無視しているアメリカをこれまで容認してきた西側諸国が、ロシアを非難できるだろうか。

アメリカがロシアについて国際刑事裁判所で裁かれることを主張するなら、アメリカも国際刑事裁判所によって裁かれることを認めなければならない。

これが「フェアの思考」というものだ。

ロシア擁護じゃない、包囲網をつくるためだ

ロシアを非難するのに、わざわざ西側諸国の問題点をあげつらうべきではない、という意見もあるだろう。橋下はロシアに味方するのか、今はロシアの非難に集中すべきだ、と。

しかし、ロシアを非難しても、ロシアから簡単にブーメラン返しされるような事情を西

側諸国も抱えているなら、武力で相手を倒さない限り、お互いの非を責め合う協議にしかならない。

武力で圧勝しない限り、どこかで協議が始まる。ヨーロッパの安全保障の問題として西側諸国もロシアと協議せざるを得ない状況になるだろう。その際、自分たちの非も認めた上で、同じ非難理由で相手の非を責める。

このような西側諸国の矛盾のない一貫した主張について、ロシアは反論の機会を奪われる。それが「フェアの思考」の効果の一つだが、もう一つの大きな効果としては、こちらの仲間が増えるということがある。

現在西側諸国は、ロシア非難で結束している。問題は西側諸国以外の国についてだ。

今は国際社会の中でロシアを非難する国が多いが、それでもロシアを非難しない国も結構存在する。中国、インドという大国を筆頭に、東南アジア諸国、中東諸国、アフリカ諸国の中に多い。そうした国々からすると、西側諸国中心に作られた現行の国際秩序に従わされることには納得できない、という思いもあるのだろう。

「西側諸国が作ったルールによって、自分たちは都合の良いようにやられてしまっている」と。

だからこそ、西側諸国はロシアを非難する際に、同じ非難理由で自らの非をしっかり認めるべきなのである。これが西側諸国以外の国からの支持につながる。西側諸国は身勝手だな、不公平だなと思われてしまえば西側諸国以外の国に味方になってもらえないだろう。

安全保障の枠組みを考える

ロシアによるウクライナ侵攻の原因については色々な意見がある。そのうちで僕が賛同しているものは、NATO・西側諸国とロシアの間で生じていた、ヨーロッパの安全保障の枠組みについての政治的つばぜり合いが爆発したというものだ。

第二次世界大戦後に作られたヨーロッパの秩序は、西側諸国と旧ソ連による均衡状態というものだった。西側諸国は軍事同盟であるNATOを形成し、旧ソ連圏はワルシャワ条約機構を形成し、その接するところは鉄のカーテンと呼ばれた。

相互に軍事力を強化し、それぞれ核兵器を保有することでお互いに戦争を仕掛けられないような状態を作った。極度の緊張状態にあったが、それでも戦争は起こらない安定した状態だった。

それが1991年にソ連が崩壊したことによってこの均衡状態に変化が生じた。ワルシャワ条約機構を構成していた旧ソ連圏の国々が、西側諸国のＮＡＴＯに加盟してきたのだ。そのことでＮＡＴＯが東側に拡大し、鉄のカーテンも東にズレてきた。旧ソ連の中心を受け継いだロシアにとってはＮＡＴＯが自分たちに迫ってくるような形になった。

現在30カ国がＮＡＴＯに加盟し、さらに加盟を希望する国々がある。

ロシアは、ＮＡＴＯとの間に、ＮＡＴＯ非加盟国の緩衝地を置いておきたい。大国のわがままではあるが、それがロシアの切羽詰まった本音である。歴史を振り返れば、ナポレオン戦争や第二次世界大戦の独ソ戦において、ロシアは西側から国境を攻め込まれ多大な犠牲を払うことになった。西側の国境防衛はロシアにとってＤＮＡに埋め込まれた死活問題なのである。

ＮＡＴＯ加盟国のうちロシアと接している国にバルト三国（エストニア、ラトビア、リトアニア）があるが、そのＮＡＴＯ加盟手続きはソ連崩壊後のドタバタの中で進められ、ロシアは反対の意思を有していたものの、まだロシアの力がなかったのでＮＡＴＯ諸国に押し切られてしまった。この際の政治協議によってバルト三国も譲歩し、自分たちの領域内にはＮＡＴＯ基地やＮＡＴＯの駐留部隊は置かないことで妥協した。

２００４年にバルト三国などが加盟してＮＡＴＯは19カ国から26カ国となった。しかしロシアとして絶対にNATO加盟を許すことができない国が、ウクライナとジョージアだった。両国は、ロシアに接する国であり、NATOに加盟されてしまっては、ロシアとNATOがより一層接することになる。

戦争の原因はNATO問題

2000年に大統領に就任したプーチン氏は、当初はNATOと協力しようと思っていたらしいが、その後NATO・西側諸国との関係が悪化し、2007年ミュンヘン安全保障会議においてNATOに対して不満を爆発させる。

プーチン大統領自身が語っているところや専門家の見解によれば、西側諸国、特にアメリカは旧ソ連・共産主義の終焉をもって民主主義が勝利したことを高らかに謳い、それまでのある意味対等だった米ソ関係から、ロシアを格下扱いにする関係に変えてきたというのだ。ロシアのどうしても譲れない一線がことごとく拒否されたというのである。当時、アメリカの政治学者フランシス・フクヤマ氏が民主主義の勝利を宣言した『歴史の終わり』(1992年)という著書が西側諸国のインテリたちの中で大流行した。

そして2008年、ブカレストNATO首脳会議において、ウクライナとジョージアが

NATO加盟手続きを進める決定をしようとしたところ、プーチン大統領は猛反発し、ドイツ・フランスもロシアとの衝突を回避するために、加盟手続きを進めることに反対した。結果、NATO側は将来の加盟を宣言することで収めようとしたが、プーチン大統領はそれにも猛反対した。

その後プーチン大統領は、ジョージアに軍事侵攻し、南オセチア・アブハジアを独立させ、ジョージアがNATOに加盟できないような措置をとった。

2014年、ウクライナの親ロ派大統領ヤヌーコビッチ氏が民衆デモによって失脚させられると、プーチン氏はすかさずウクライナ内の親ロ派勢力と組んで、ウクライナの東部ドンバス地域の一部とクリミア半島を実効支配した。その後、クリミア半島で住民投票を実施し、ロシアへの編入を決定した。東部地域でも住民投票が行われ自治権拡大の要求が公式となった。この住民投票には西側諸国は疑義を唱えている。

そこから、ウクライナの東部地域ではウクライナ勢力と親ロ派勢力の戦闘状態が継続し、ドイツ・フランスの仲介によって、東部地域に自治権を与え、国境管理はウクライナが行うといういわゆるウクライナとロシアのミンスク合意が2015年締結された。

ところが2019年にウクライナ大統領に就任したゼレンスキー氏はミンスク合意の破棄を主張する。さらにはクリミア半島の奪還も強く主張する。アメリカとイギリスは、ウクライナ軍の強化に最大限の力を入れた。

このような経緯からロシアによるウクライナ侵攻の兆しが強く見え始めた2021年12月から2022年初頭にかけてアメリカとロシアは協議を行うが、ロシアからの要望の中心は、NATOの東方不拡大の阻止、かつNATOの縮小、そしてミンスク合意の履行だった。バイデン米大統領はNATOについてのロシアの要望を拒否、ゼレンスキー大統領もミンスク合意の履行を拒否した。

その直後、ロシアはウクライナ東部の2地域について独立国家として認める決定を行い、2月24日、ロシアがウクライナ侵攻を開始した。

ロシア軍による攻撃が激しさを増すなか、当初の停戦協議・政治的妥結の焦点は、ウクライナがNATOに加盟しないことと、東部地域をどうするかになっていた。現在はウクライナ、ロシア双方の犠牲が大きくなり、求める戦果もお互いに大きくなっているので停戦協議・政治的妥結の焦点は変わってきているだろう。

6ページでも詳述したが、いざ戦争が始まってしまうと犠牲の少ない序盤か、もはや戦果と言っていられないほど犠牲が大きくなってしまった終盤か、膠着状態にしか政治的妥結はなされないのが戦争の現実である。それでも戦争において日々一般市民の命が奪われていく。ゆえに武力によって一方の当事者の圧勝が望めない限り、政治的妥結を模索するのが政治の使命である。

妥結の際に重要なのは相手の立場に立って相手の脳みその中を覗き込み、相手の思考を把握する「フェアの思考」なのである。相手の思考を把握することが、自らの要求を最大限に押し通し、相手の譲歩を最大限に引き出す第一歩である。

以上のウクライナとロシアの間の経緯を見る限り、プーチン大統領・ロシアがウクライナのNATO加盟を断固阻止したい意図、そしてウクライナの東部ドンバス地域の確保の意図が分かる。実際ゼレンスキー大統領も、戦時中のインタビューにおいて、NATOの東方拡大問題がこの戦争の原因であると明確に答えている。

プーチン大統領・ロシアの意図について、NATO東方拡大阻止ではなく、ロシアがウクライナ全体を属国にしたいからだ、ロシアに編入したいからだ、ウクライナ人をせん滅させたいからだなど色々な意見が出ているが、これまでの経緯と、ウクライナ大統領自身が戦争原因はNATO問題だと言っている以上、僕はそれを中心にプーチン大統領・ロシアの意図を考える。

ちなみに日本ではいわゆる識者系の者たちは、ロシアがウクライナ全土を支配することがプーチン大統領の意図だと言うものが多いが、国家運営に携わった経験のある政治家や高官、特に外交の実務を担っていた外務官僚たちの多くは、プーチン大統領の当初の目的はウクライナのＮＡＴＯ非加盟の約束と東部ドンバス地域の獲得だったと言っている。

キューバに今、核ミサイルが配備されたら

なぜプーチン大統領・ロシアが、そこまでウクライナのＮＡＴＯ非加盟、いわゆる中立化にこだわるのか。

それは大陸で国境を接する国ならではの感覚だと思う。

ロシアは、その昔、モンゴルに、ナポレオンに、そしてナチス・ドイツに国境を侵され、莫大な住民・国民の命が奪われた。特に第二次世界大戦の独ソ戦では、２７００万人にも上る国民の命が犠牲になったのである。国境を侵される恐怖は、我々四方を海に囲まれた日本人には想像もできないものがあるのだろう。

ウクライナがＮＡＴＯに加盟すれば、ＮＡＴＯの基地や駐留軍がウクライナに入ってく

る可能性がある。しかもウクライナとロシアの国境から、ロシアの首都モスクワは結構近い。モスクワ近くに敵対勢力であるNATOの軍事力が迫ってくることになるのである。ゆえに敵対勢力であるNATOとの間には緩衝地を設けたいというのがプーチン大統領・ロシアの本心だろう。まさに日本の周囲の海のように。

もちろんこれは大国の勝手な発想であり、緩衝地にされる国にとっては、自らがNATOに入るかどうかの決定権を奪われることになるので受け入れがたい。

しかしこのような大国間・勢力間のパワーバランスをはかることが国際政治の現実とも言わざるを得ない。

実際、ロシアと国境を接し大戦争を行ったフィンランドや、ロシアの近くのスウェーデンなどはNATOに加盟することを控えてきた。明らかにロシアへの配慮だ。その両国がロシアによるウクライナ侵攻を受け、ロシアへの配慮を捨てて、NATO加盟申請に踏み切った。ロシアはウクライナに手いっぱいで、フィンランドやスウェーデンにかまっていられない。今のうちに加盟申請をしてしまおうというのもこれまた国際政治の現実だ。フィンランドとスウェーデンがNATOに加盟できれば、それはウクライナの莫大な犠牲の上でのものだ。

ＮＡＴＯや西側諸国、特にアメリカは、ＮＡＴＯがどの国を加盟させるかどうかはＮＡＴＯと加盟希望国が決めることであり、ロシアにとやかく言われる問題ではないというオープン・ドア・ポリシー（条件を満たした申請国を加盟させる方針）を強調する。国家の主権という建前に固執している。

ここで「フェアの思考」を発動してみよう。

検討の対象は１９６２年のキューバ危機だ。アメリカは自分の喉元にあたるキューバにソ連の核兵器が配備される計画を知って烈火のごとく怒った。自分の近くにソ連の核兵器が配備されるなんてあり得ない。米国民は極度の恐怖におそわれた。

ここからケネディ・アメリカ大統領とフルシチョフ・ソ連第一書記の緊迫の心理戦が始まる。双方、強硬派と譲歩派がいる中で、核戦争ギリギリのところまで緊張感が高まった。そして最後の最後でケネディとフルシチョフは相互譲歩、政治的妥結で折り合った。

この件では、ソ連がキューバへの核兵器配備を取り下げた点がよく言われるが、実はアメリカもトルコに配備していたソ連向けのミサイルを取り下げている。相互が政治的に妥結してキューバ危機を回避したのだ。

自分の近くにソ連の核兵器を置くなという主張をかつてアメリカがしたのであれば、今回ロシアが、首都モスクワまで目と鼻の先のウクライナをNATOに加盟させるなという主張も認めざるを得ない。ウクライナがNATOに加盟すれば、ウクライナ内にNATOの軍事施設が配備されることにつながるからだ。

本来はNATOに加盟するかどうかはウクライナやNATOの判断である。建前としてはそれが国家の主権というものだ。しかしアメリカもかつてキューバとソ連の決定を尊重しなかったのであるから、今回、ロシアがウクライナやNATOの決定を認めないということも受け入れざるを得ない。

もしウクライナとNATOの決定を尊重せよ、とアメリカがロシアに対して言うのであれば、かつてキューバとソ連の決定をアメリカが尊重しなかったことの誤りを認めなければならないし、今後、アメリカの近くの国にロシアの核兵器が配備されてもアメリカは文句を言えなくなる。

今となっては「たら」「れば」の話になってしまうが、ロシア・ウクライナ戦争の前に、

ＮＡＴＯ・アメリカ、ウクライナ側と、ロシアの間で、相互の安全保障について譲歩し合う政治的妥結をしておけばよかったのだ。

ＮＡＴＯは「ウクライナの加盟は自分たちで決める、ロシアにとやかくいわれる筋合いはない」と突っぱねたが、中心国のドイツ・フランスはウクライナの加盟に反対していた。であればどの道ウクライナのＮＡＴＯ加盟は時間がかかる話であった。そしてミンスク合意は東部ドンバス地域についてウクライナの領土であることを前提に高度の自治権を与えるというものであった。

そうであれば外交の力によって、ウクライナのＮＡＴＯ非加盟、東部地域への自治権付与というラインでＮＡＴＯ・アメリカ、ウクライナ側と、ロシアの間で政治的妥結をして戦争を回避することこそが政治の使命だった。

ロシアに対して配慮するのは嫌だという感情論は分かる。しかしいざ武力衝突となった場合に、圧倒的な勝利をおさめる展望がなければ一般市民の犠牲が拡大する。

今のウクライナの現状を見て欲しい。この悲惨な状況を避けるために、ＮＡＴＯ非加盟をとりあえず約束し、東部ドンバス地域の高度の自治権を認め、その代わりウクライナとロシアの国境管理、軍備の透明化はヨーロッパの安全保障の枠組みによって解決し、ウクライナの安全も保障していくべきだった。

NATO・ウクライナとロシア双方に譲歩を迫る政治的妥結によって、戦争という最悪の事態を回避できるのであれば、僕はそれが最善策・最適解だと確信している。


さて、以下の中国の振る舞いをみなさんはどう評価するだろうか。

1996年、台湾海峡危機（台湾の民主化と独立の動きを牽制し、中国が台湾近海にミサイルを撃ち込んだ）が生じた際、アメリカは台湾海峡に当時世界最強と言われた空母を派遣した。極度の緊張状態となったが、中国はこの勝負をいったん降りた。当時の中国の力とアメリカの力を冷静に分析し、武力衝突によって圧勝できる望みはないと認識したのであろう。

中国の政治指導部からするとメンツを完全に失ったと思う。しかしいったん武力衝突は避けた。自分たちが力を付けてから勝負に出る覚悟を持ったのだ。まさに鄧小平《トンシャオピン》氏が言ったとされる韜光養晦《とうこうようかい》（才能を隠して外に表さず、内に力を蓄える戦略）である。そして現在の中国は、経済力も軍事力も十分に持ったと自信を持っている。その上で牙を剥きだした。

国家の指導者は、自分たちの武力・軍事力・自衛力によって、相手を圧倒するという自信と展望がない限り、戦争を回避することが使命である。建前やメンツにこだわってはならない。そこで威勢よく血気盛んになったことによって、一般市民に多大な犠牲が生じてしまえば取り返しがつかない。

戦争を回避することで譲歩や政治的妥結をすれば、国内から弱腰批判が吹き荒れるだろう。しかしそこを耐え忍んでいったん戦争を回避し、武力で圧勝できる状態まで待つ。これが政治家の仕事、国家の指導者の仕事だ。

日本の政治家や識者たちの中には、自分たちの力や相手の力を冷静に分析することなく威勢のいいことを言う連中が多い。そのような者たちの言説に流されて悲惨な戦争に突入しないように、戦争を回避するための政治的妥結を達成する力が国家の指導者や政治家には必要だ。

そしてそのような政治的妥結を実現するためには、相手の立場に立って相手の思考を把握する「フェアの思考」が必要なのである。

事前の外交によって戦争を避けることは不可能だったと言う識者も多いが、国家指導の経験のある政治家や政府高官、外務官僚たちの多くは、外交によって戦争を防ぐことができると言っている。

つまり、中国の振る舞いも「フェアの思考」に基づいているのである。

国際秩序は誰が決めるのか

西側諸国は、ロシアの侵略戦争は第二次世界大戦後の国際秩序を崩すものだと非難する。「力による現状変更だ」と。

しかし、NATOが加盟国を増やすことは完全に自由なのか。僕は日本人として西側諸国の陣営に属するのでNATOが拡大することは歓迎する。

ところがロシアから見ると第二次世界大戦後の国際秩序とは、NATOが東方に拡大する前のかつての鉄のカーテンのラインだ。

1991年にソ連が崩壊した後、西側諸国は「民主主義の勝利だ!」と、NATOを東方に拡大した。それはロシアから見れば、第二次世界大戦後の国際秩序の変更、かつての鉄のカーテンの変更と見えるだろう。西側諸国はソ連崩壊後の変化は当然のものとして受け止め、自国が崩壊したロシアはその変化を当然のものとしては受け止められず、プーチン大統領はソ連崩壊を振り返り「地政学上の最大の悲劇」と言っている。第二次世界大戦後の国際秩序と言っても、西側とロシア側で見えているものが違うのだ。

さらに西側諸国は自分たちに都合のいいように国際秩序を持ち出すと思われているところがある。西側諸国は特に中国やロシアに力による現状変更はダメだ、と非難する。しかし西側諸国以外にとっては、タリバン政権を倒したアフガニスタン戦争、フセイン政権を倒したイラク戦争というアメリカ・西側諸国の行為も力による現状変更だと映る。特に中東諸国にとっては、アメリカ・西側諸国の主張は完全にダブルスタンダードだと映るだろう。

難民・避難民についても同じだ。

西側諸国は、シリア難民、その他のイスラム圏の難民には支援の手を差し伸べることに躊躇する。ところが今回のウクライナ避難民については、全力でサポートする。西側諸国はルールを曲げてでもウクライナ避難民を受け入れるが、その横で他の難民は放置される。

これらは全て西側諸国が都合よくルールを運用していると、西側諸国以外の国は感じている。このようなアンフェアの状況が広がると、国際社会における各国のルールに従うモチベーションが下がり、もはやルールによる統治、法による支配というものが機能しなくなる。

第二次世界大戦後の国際秩序、特にソ連崩壊後の秩序は、主に西側諸国が形成していったものであるが、西側諸国以外の国は力を持ち得なかったのでやむなく従っていたという思いがある。西側諸国以外の各国が力を持ち始めた今、私たちの主張も聞けという不満が強まってきているのであろう。

このような事情を基に「フェアの思考」を働かせるならば、西側諸国は、力を付けてきた西側諸国以外の国の主張にも耳を傾けて国際秩序のルールを作り直していく姿勢を示す必要がある。

西側諸国の考えを絶対的な正義と決めつけて、西側諸国以外の考えを全否定すれば、正義のぶつかり合いとなる。正義を最終的に決定し強制する国際機関があればそこに正義の判断を委ねればいいが、そのような機関がない現在の国際社会においては、政治的に妥結して、正義のぶつかり合いの戦争を避けるしかない。

正義対正義のぶつかり合いにはしない。自分の主張に矛盾がないように自らの襟もしっかりと正した上で、相手にこちらの主張をぶつける。これが「フェアの思考」だ。

南京事件を考える

1937年に日本軍が犯した南京事件については、日本において否定する意見も多い。虐殺は全くなかったという意見もあるが、それは少数説で、多くは被害人数に関するものだ。

中国は30万人という被害者数を持ち出すが、日本においてはこの数は事実無根だとする主張が多い。被害者数は少ない説で約5000人、著名な歴史実証家は約4万人、多いものは20万人や中国が主張する30万人という説をとっている。いずれにせよ、少なくとも数千人の虐殺があったことは厳然たる事実だ。

今回のロシアによるウクライナ侵攻において、ウクライナのブチャという町で、ロシア軍による民間人虐殺行為があったことが報じられ、世界は衝撃を受けた。第一報ではその数は300人。日本においても、ロシアを徹底非難する声が上がった。

ところが南京事件について、「それは中国が被害者数を水増ししたプロパガンダだ！」と叫んで中国を罵っていた人に限って、ロシアによるブチャの虐殺を非難している。完全にアンフェアの思考だ。南京事件は、少なくともブチャの虐殺の10倍以上。このことだけでも、日本軍のやった行為を正当化することは絶対にできない。

もし被害者数の事実が異なるということを主張するなら、中国を罵るような形で批判するのではなく、日本軍が少なくとも数千人、あるいは数万人規模の虐殺行為をやったことを深く反省し、その上で被害者数については中国の主張とは異なると思います、という姿勢で日本の主張をするべきなのである。これが「フェアの思考」だ。

日本の戦争を完全に正当化する人たちへ

今回のロシアによるウクライナ侵攻においてロシアを徹底非難する中で、日中戦争・太平洋戦争時の日本の戦争行為を完全に正当化する勢力が典型的なアンフェアの思考の持ち主であることが白日に晒された。

彼ら彼女らは、これまで日本の戦争行為を完全正当化していたが、「フェアの思考」に基づけば、今回のロシアの行為も非難できなくなるはずだ。この点、彼ら彼女らは自らの主張の矛盾に気づかずにロシアをただただ徹底非難しているが。

彼ら彼女らの主張の典型は次のようなパッケージ的なものである。

○日中戦争・太平洋戦争は日本の完全自衛戦争である。

○東京裁判は無効である。インド出身のラダ・ビノード・パール判事のA級戦犯容疑者無罪論こそが正しい。
○南京大虐殺は中国のプロパガンダだ。
○中国・韓国の声など聞かずに、首相や天皇陛下は靖国神社を参拝すべきだ。
このような主張をしてきたならば、本来は今回のプーチン大統領・ロシアの行為を非難できないはずだ。ロシアも自衛戦争を主張しているし、プーチン大統領もA級戦犯と同じ立場なのだから。

さらにロシアは、ブチャの虐殺はウクライナのプロパガンダだと主張している。これも日本の戦争行為完全正当化派の主張と瓜二つである。

また仮にプーチン大統領が死亡しそれを祀るような施設がロシアにできた場合に、ロシアの国家指導者がそこに参拝することについてウクライナは反対できなくなる、という主張になる。

この結論がおかしいというなら、日中戦争・太平洋戦争完全正当化論、A級戦犯容疑者無罪論、南京大虐殺中国プロパガンダ論、首相・天皇陛下の靖国神社参拝論は取り下げなければならない。これが「フェアの思考」だ。

完全自衛論、東京裁判無効論、南京大虐殺プロパガンダ論、首相・天皇陛下靖国参拝論を主張する勢力は、日本の国の正当性を強烈に主張する勢力である。その勢力は国内においては愛国者集団と映り拍手喝采を受けることが多い。ところが、敵国から見ると、強烈な敵対勢力に映るのである。

今ウクライナのために決死の覚悟で戦っている兵士、その中でも強烈なウクライナ愛の持ち主であるアゾフ大隊の兵士たちは、ロシアから見ると逆に強烈な敵対勢力になるのである。「フェアの思考」に基づいて、この物事の見え方の違いというものを知る必要がある。

初代韓国統監だった伊藤博文を暗殺した安重根《アンジュングン》は、日本においてはテロリストだ。しかし韓国においては英雄として祀られている。

このように自分の見え方と相手からの見え方の違いを分かった上で、自分の主張を組み立てていく。

ロシアの侵略行為、虐殺行為を厳しく非難していくためには、自らの行為についても襟を正す。ロシアを非難することと同じことを自分たちがやっていたならば、その点はしっかりと過ちを認める。その際、ロシアからの物事の見え方を理解しなければ、自らの主張の論理矛盾を見つけることができない。

これが「フェアの思考」というものだ。

昭和天皇の「ファシスト」扱いについて

この点、日中戦争・太平洋戦争は日本の完全自衛戦争だと正当化する者たちの間で大混乱が生じた事例がある。

2022年3月16日、ゼレンスキー・ウクライナ大統領がアメリカ議会において戦地キーウよりオンライン演説を行った際、ロシアの蛮行について、「9・11」のテロや日本の真珠湾攻撃と同じだと訴えた。また4月には、ウクライナ政府のツイッター公式アカウントにおいて、プーチン大統領のファシスト性を批判する動画内で、ヒトラー、ムソリーニに並べて昭和天皇を同列に扱った写真を掲載した（その後ウクライナ政府は関与を否定）。この写真は日本政府や日本国民たちからの猛烈な批判を受けて謝罪とともにすぐに削除された。

日中戦争・太平洋戦争は日本の完全自衛戦争で何も悪くないと言い張る者にとって、さらには天皇陛下・皇室を絶対善と信奉する者にとっては、このゼレンスキー大統領の訴えやウクライナ政府の公式アカウントの発信は絶対に許されないのだろう。

ゆえに、ネットの中の狭い世界のことではあるが、これら日本の戦争行為完全正当化派の者の中から「もうウクライナなんか支援しなくていい！」という声があがったようだ。

しかし、これらの完全正当化派の者たちはついさっきまで、「ロシアの蛮行を許すな！ウクライナは祖国防衛のために徹底的に戦え！」と主張していたのである。ちょっと前まで、ウクライナと共にあると言っていたのに、日本が批判された途端に、もうウクライナ批判一色だ。日本が批判されたことに怒り狂い、ロシアの蛮行を非難する視点は吹っ飛んでしまっている。

この変わり身の早さ、そしてウクライナを支援しなければならないとあれだけ言っていた気持ちはなんだったのかと不思議に思う。

そして日本国内で生活し、日中戦争・太平洋戦争における日本の戦争行為は絶対的に正しいと主張していたウクライナ人の政治評論家は、これまで仲間だと思っていた者たちから凄まじいバッシングを受けて、一生懸命謝罪することになった。

ロシアの蛮行は侵略戦争であることに間違いない。自国が攻撃されたわけでもないのに、安全保障上の脅威を理由として他国を侵略・攻撃した。

そうであれば日本の先の戦争も侵略戦争として見るしかない。特に敗戦し、国際社会からそのように認定されてしまったのだから仕方がない。仮に日本の戦争行為を完全正当化したいのであれば、日本国内のみで威勢よく主張するのではなく、国際社会を説得しなければならない。

このような国際社会の視点で、ウクライナが日本の日中戦争・太平洋戦争をロシアの蛮行と同一視したのであれば、それを受け入れながら、ロシアも徹底的に非難するというのが「フェアの思考」というものだ。まさに国際社会の立場に立った思考だ。

そうではなく「フェアの思考」の欠如から自分は絶対的に正しいと信じ込んでしまう者は、自分が少しでも批判されると烈火のごとく怒り狂い、本来やらなければならないことをすっ飛ばしてしまう。

日本の戦争行為完全正当化派が、少しでも自分の考えと違うことを言われると、ロシアの蛮行を非難しウクライナを支援するという今一番必要なことを飛ばしてしまったのはその典型例だ。

フェアの思考に基づく反論

では、昭和天皇がファシスト扱いされていることに関して、日本は何も言えないということなのか？

そうではない。反論するにしても、「フェアの思考」に基づく反論をすべきということだ。

「日本の日中戦争・太平洋戦争は天皇陛下ではなく軍部が引き起こした、だから昭和天皇をファシスト扱いするな！」というのが一般的な反論である。しかし、他国からみれば、軍事的攻撃を受けたわけでもない日本が侵略したことには変わりがないし、国際社会から見れば天皇陛下は日本国のトップであることにも変わりがない。

ロシアの侵略戦争を非難するのであれば、日本の侵略戦争も認める。その上で、「天皇陛下をファシスト扱いするな！」とどのように反論すればいいのか。

このときにこそ、国際社会が認めている東京裁判を用いるのである。東京裁判やその他の戦犯裁判所では、東条英機などの戦犯が処刑、処断され、昭和天皇は起訴もされていない。これが国際法廷の結果だ。

ゆえに、日本の戦争を侵略戦争だと評価されたとしたとしても、「昭和天皇をファシスト扱いし、戦争責任の問われたヒトラーなどと並べることはおかしい」とウクライナだけでなく、国際社会に主張できる。

それが「フェアの思考」に基づく反論だ。

東京裁判の本当の意味

東京裁判については色々な意見がある。日本の戦争は自衛戦争だったと完全正当化する立場からすると、東京裁判は受け入れがたい。

そもそも平和に対する罪、人道に対する罪というものを戦争終結後に戦勝国が無理やり作って裁くことは法的には無効であるとも主張している。この点は、法的にはその通りである。後から作った法律で処罰してはいけないという遡及処罰の禁止という刑法の大原則がある。東京裁判はこれに真正面から触れる。

この論理で、日本側の戦犯容疑者を全員無罪とした裁判官が、インド出身のラダ・ビノード・パール判事である。日本の完全正当性を主張する勢力は、このパール判事の意見を全面的に支持する。

しかし、この東京裁判というものは純粋な裁判ではない。太平洋戦争を終結させるための政治的なプロセスを、裁判という形式を使って行ったものだ。

戦争は政治的な衝突から始まる。そして終わらせるのも政治だ。武力で敵を倒したとしても、戦犯をどのように処遇するかも含めて様々な政治的課題が山積する。

ここにうまく対処しないと、敗戦国が負けをしっかりと認めない。そうなると戦勝国が敗戦国に様々な措置を加える際に、敗戦国から反発が生じて、うまく統治ができなくなる。その典型例が、イラク戦争によってフセイン政権を倒した後のイラクだ。

したがって戦争は、戦争終結後の敗戦国の統治をうまく行うことが政治的に重要な目標となる。その際に使われるのが裁判という形式なのだ。

裁判は、敵国の主張も聞くプロセスがあるので、一見公平・公正に見える。

実態は戦勝国が思うままに裁判を進めることになるのだが、裁判の形式を採らずに、戦犯を即時処刑するよりもはるかに敵国国民の納得度は高まる。

加えて、戦争を終結させる際には、戦勝国と敗戦国の間に様々な政治的協議が必要となり、敗戦国にも一定の配慮をする場合には、戦勝国の国民から不満も出る。「これだけ自分たちが犠牲となって勝利したのに、なぜ敗戦国に配慮をするのか！」と。

ゆえに裁判の形式を採ることで、戦勝国の国民の納得度を高めることにもつながる。この点、イラク戦争後の裁判形式はうまくいかなかったが、東京裁判はかなりうまくいったと思う。

東京裁判の最重要ポイントは、戦勝国の国民を納得させるために、日本の侵略戦争をしっかりと認め、戦勝国にとっては正義の戦争であったことを確定する。そのことと併せて戦勝国が行った、様々な残虐行為、非人道的行為を免責させる。日本の民間人を大量に虐殺した無差別空襲やさらには原爆投下について、アメリカなど戦勝国は責任を問われない。

他方、敗戦国である日本に配慮し、昭和天皇の戦争責任を問わないとすることであった。この日本の侵略戦争を認め、昭和天皇の戦争責任を問わないことと確定することが東京裁判の最大の目標であり、それをうまくやってのけた。

この政治目的を達成するために裁判という形式を使っただけなのである。したがって我々日本人が東京裁判を最大限に活用できる場面は、昭和天皇の戦争責任が問われる場面なのである。

まさに今回、ウクライナ政府が、昭和天皇をヒトラー扱いしたときにこそ、「それは違う。国際社会が昭和天皇の戦争責任を問わないことにしたことをしっかり認識すべきだ」と堂々と言えばいい。ただし、東京裁判をこのように使う以上、日本の侵略戦争もしっかりと認め、間違っても東京裁判無効論など主張してはいけない。

これが「フェアの思考」に基づく反論というものだ。ここで日本の完全自衛戦争を理由に日本を正当化し、ウクライナ政府に異議を唱えれば、ロシアが自衛戦争であると主張することを非難できなくなってしまう。日本の完全正当化論は、アンフェアな思考に基づく反論の失敗例である。

第3章　感情や空気でなく「ルール」を重視

安倍元首相の国葬に僕が反対する真の理由

「フェアの思考」として、これまでは相手の立場に立って考えることや、自らの主張や態度の一貫性について論じてきた。加えてもう一つの柱が「ルールを重視して考える」というものである。

この思考法を直近の事例で説明しよう。安倍晋三元首相の国葬の問題である。

2022年7月8日、安倍元首相が奈良市内における参議院選挙の街頭演説中に凶弾に倒れた。警備体制が敷かれている中での白昼堂々の銃撃である。日本中に激震が走り、安倍元首相を悼む声が国内のみならず世界各国から溢れかえった。

岸田文雄首相は選挙後の7月14日、国葬を行うと表明した。それに対して、賛成の声も多かったが、反対の声ももちろん上がった。

国葬賛成派は、安倍元首相の功績からすれば当然のことだと主張する。

反対派は安倍元首相個人を礼賛してはならない、安倍政治には罪の部分もある、国税を投入すべきではないということを理由とする。

この点「フェアの思考」からすれば、安倍元首相の功罪の評価については絶対的な正解はないことを前提とする。

その上で、ルールとプロセスを重視する思考をとる。

日本は世界に向けて法の支配、ルールに基づく統治を発信している。特にロシアによるウクライナ侵攻について、ロシアに対して法に従えと強く主張している。

そうであれば、日本自体がルールに基づく統治を厳格に遵守しなければならない。

「安倍さんだから」という理由で国葬にすると判断したのであれば、それは法に基づく統治、法治国家とは言えない。中国や北朝鮮などと同じく、人に基づく統治、人治国家である。

元首相である安倍さんが国葬なら、菅直人元首相が亡くなった場合にはどうするのか？鳩山由紀夫元首相が亡くなった場合にはどうするのか？

安倍元首相を支持する者の多くは、菅元首相や鳩山元首相不支持のいわゆる保守層である。彼ら彼女らは「安倍さんは当然国葬だけど、菅さん、鳩山さんが国葬なんてとんでもない！」と主張するだろう。しかし当然、菅元首相や鳩山元首相の支持者もいるわけで、その者たちは菅元首相や鳩山元首相の国葬も求めるかもしれない。

この点、アメリカは分かりやすい。慣例上、大統領経験者が亡くなった場合にはご遺族が拒否しない限り原則国葬とされている。ニクソン元大統領はウォーターゲート事件があったがゆえに本人やご遺族が国葬を望まなかったそうだ。

アメリカは二大政党制なので、各大統領経験者には単純に言えばアメリカ国民の約半分の不支持者がいるにもかかわらず、国葬になる。

では、日本はどうか？

戦後、これまでは吉田茂元首相のみが国葬で、あとは国葬は行われず、内閣と自民党の合同葬などが営まれていた。

ゆえに安倍元首相がいきなり国葬になるのであれば、唐突感が否めない。しかし岸田首相の国葬の表明後、国葬でいいじゃないか、という雰囲気に世間は包まれた。

この雰囲気による国家運営というものが一番危険なのだ。

安倍政権の問題の一つに桜を見る会に関するものがあった。もともとは政府主催の一定の功績のある国民を招待する行事であったのだが、安倍元首相はじめ自民党の議員たちが、自分の後援会関係者を呼ぶ行事と化していた。

この点、税金を使う政府の行事が、政治家の支持者獲得のための後援会行事になっていると批判され、桜を見る会は中止に追い込まれた。

このような事態を招いたのは安倍政権や日本政府が、政治イベントと行政イベントの区別がついていなかったことが原因であった。

政治イベントは、政治家が自分の好きな者を呼んでくればいい。政治資金パーティーが典型だが、政治家の政治活動とはそのようなものである。

しかし行政イベントとなればそうはいかない。日本政府は、どのような政治信条を持っているか、どこの政党を支持するかに関係なく、全国民を対象に振る舞わなければならない。全国民からの税金で支えられているのだから当然である。

ゆえに行政イベントの場合には、明確な基準が必要なのだ。

国葬であれば、国葬にする基準、しない基準が必要になる。

この点、内閣府設置法第4条3項33号に、内閣府の所掌事務として「国の儀式」に関する事務が定められていることを根拠に、岸田政権は安倍元首相の国葬を決定してもいいという意見があるが、とんでもない間違いである。

国の儀式を内閣が行うのは当たり前のことである。重要なのは、どのような場合に国葬にするのかの基準と判断プロセスなのである。

岸田首相は、①憲政史上最長の8年8カ月にわたり内閣総理大臣の重責を担った②東日本大震災からの復興、日本経済の再生、日米関係を基軸とした外交の展開などの大きな実績を残した③外国首脳を含む国際社会から極めて高い評価を受けている④民主主義の根幹たる選挙が行われている中、突然の蛮行によって亡くなり、国の内外から幅広い哀悼、追悼の意が寄せられている、という理由を持ち出し国葬に値すると表明した。

それに対して安倍政治には罪の部分もあるし、国葬にすれば安倍元首相を称えることを国民に強制することになるので国葬にすべきでないという意見もある。

だからこそ、ここは絶対的な正解を求めるのではなく、ルールと判断プロセスを重視する「フェアの思考」が必要なのである。

すなわち岸田首相が掲げた4つの具体的理由とは別に、一般化した国葬の基準を法律上明確化すべきである。そして岸田首相が個人的に判断するのではなく、判断のプロセスも明確化すべきである。

たとえば、衆院・参院両議長や最高裁判所長官、それに民間の代表者も加えて審議会で議論をしてもらい、そしてその意見を踏まえて最後は内閣、つまり首相が判断する。

審議会で責任を負いながら決定するのは困難であろうから、審議会にはあくまでも意見を出してもらう。その上で責任をもって決定するのは内閣、つまり首相だ。

このようなプロセスを踏むことにより、正解に近づいたと見なしていくのである。その決定について全国民が賛同することはあり得ない。常に反対意見が出るだろう。しかし適切なプロセスを踏むことによって、反対意見の人の納得度も高めていく。これが「フェアの思考」だ。

このような明確な基準や適切なプロセスを踏むことなく、「安倍さんだから」国葬にするというのは最悪の国家運営だ。

法の支配というのは、自分に不利になること、相手に有利になることでも受け入れる姿勢がなければならない。

つまり基準に適合し、適切なプロセスを踏んだのであれば、自分が支持しない元首相が国葬になっても受け入れなければならない。安倍元首相「だけ」を国葬にするというのはあってはならない。

このような「フェアの思考」から、僕は「安倍元首相は国葬に値する。しかし今のやり方での国葬には反対する」というコメントを出した。

しかしこのようなコメントは、世間でなかなか受け入れられない。つまり多くの国民は

「フェアの思考」ができていない。

安倍政治と対立していた共産党や立憲民主党の参議院議員の辻元清美さんたちは、案の定、安倍政治の罪の部分も考慮すれば国葬にすべきではないと主張している。結論だけ見ると、僕も共産党も辻元議員も、同じ反対派になってしまう。

これは僕にとって心外なのだ。

共産党や辻元議員たちは安倍政治を否定的に評価して国葬に反対。他方、僕は安倍政治の功績は十分に認めて国葬に値すると評価した上で、「フェアの思考」から反対という主張である。

この2つの論が明確に異なることを理解して欲しい。僕のほうは単純賛成、単純反対とは全く次元の違う論なのだ。

ルールに基づく国家運営を逸脱することほど怖いものはない。あっという間に権力は暴走する。ゆえに僕はルールに基づく国家運営の重要性を国民のみなさんに理解してもらいたい。それで「国葬に値する、しかしこのやり方では反対」という、複雑に聞こえるメッセージを発信したのである。

ルールができた時点で問題の8割は解決

ルールを重視すれば、そのルールを適用することによって自分が不利になったり、相手が有利になったりすることも受け入れていかなければならない。そしてルールを作る過程においては相手の立場に立って考えることも必要になる。自分が有利になるように、相手が不利になるようなルールを作ったり、コロコロ変えたりすることはアンフェアだ。

すなわち「ルールを重視して考える」という思考は、これまで論じてきた「フェアの思考」をルールという形に見える化したものにほかならず、これまで論じてきたことと本質的には異なるところはない。

ここで、日本の外交・安全保障の議論について、この「ルールを重視して考える」という「フェアの思考」を実践してみる。

日本の外交・安全保障論の主流は、もちろん「日米同盟堅持・強化派」だ。これはアメリカという国の価値観や国民性、そしてアメリカの強さからいっても合理的な論だと思う。

これと異なる論は次の二つの方向性である。

一つは、日本の経済力と軍事力をとにかく強化していって、最終的には日本単独で自らの安全保障を確立するという自主独立防衛論。もう一つは、世界政府の樹立を目指し、個々の国々の軍事力をなくしていって、安全保障は世界政府が担うという路線、いわゆる憲法9条護憲派の人たちの安全保障論だ。

しかし、日米同盟を無視したこの二つの方向性は、現実的にはどちらもうまくいかないと思う。これらは頭の中での抽象論、観念論でしかない。

日本の国力を考えたときに、経済力にしても軍事力にしてもアメリカや中国のような超大国になることは極めて難しい。必要な力を持つことは大事だが、超大国並みの自主独立防衛路線を選ぶことは現実的には不可能だと悟ることも重要だ。一方、まだ存在しない、将来にわたっても実現可能性の低い世界政府を持ち出して非武装の平和国家を目指すべきと論じるのも、これも頭の中での抽象論、観念論でしかない。

日米同盟を堅持し強化した上で、経済力と軍事力以外に、日本の力を誇示できる領域はあるか。僕は、それこそが「国際ルールの重視」という日本の姿勢・態度であると考える。

すなわち「日本は国際ルールを守る国である」という看板を高く掲げ、自らが守る国際ルールを武器に、相手にもルール順守を迫る。相手にルール順守を求めるなら、まずは自らが徹底してルールを守らなければならない。この主張・姿勢こそが「フェアの思考」に基づく日本の外交・安全保障の柱になると思う。

力がない者こそ「フェア」を武器に

ルールとは本来、弱者の武器になるものだ。たとえば、刑法は国民に対して「人を殺すな、物を盗むな」と命じている。加害者より被害者のほうが弱い存在であり、ルール違反の加害者に対しては、それが誰であろうときちんと制裁が加えられる。ルールがなければ、単純な弱肉強食の世界となり、強者以外の多くの者が不幸になるだけだ。

ルールは強者にも弱者にも同じように適用されるからこそ、弱者の武器になる。

しかし残念ながら、今の国際ルールの状況を見ると、超大国がルール違反を犯しても実効的な制裁が加えられていない。その典型例がウクライナ侵攻におけるロシアの蛮行だ。ロシアは国連安全保障理事会の常任理事国。国連でロシアの蛮行を止めようとしてもロシアは拒否権を発動する。しかも核兵器を保有しているので、アメリカをはじめとする西側諸国も、ロシアに手出しができない。

それでも大国の好き勝手にさせないためには、ロシアのような例外があるにせよ、国際ルールを頼るしかない。「私も守っているんだから、あなたも守ってくださいね」という要求には、大国であっても理屈の上では反論不可能である。だからこそ、中小国こそ自分たちはルールを順守するんだという鉄壁の姿勢、それを国際社会に常に発信していくことが唯一、超大国に対してもルール順守を突き付けることのできる武器となる。

相手に無理難題を言われても、ルールによってそれをはねつける。相手がルールを破ってきたときには、自らのルール順守をより徹底しながら相手にルール順守を強く求める。相手がそれに従わない場合でも、こちらもルールを逸脱して報復合戦に突入するのではなく、あくまでもルールに基づいて対応するのが原則だ。

もちろん最後は武力衝突になることも予想して、自国の防衛力や同盟国との関係性を強化することも必要かつ重要だ。

これは何も外交・安全保障の話に限らない。仕事上のトラブルなどにも当てはめることができる。

ルールは相手が誰であろうと「これを守れ」と命じる。その「公平性」がルールの持つ力の大きな源泉だ。だからこそ弱者の武器になり得る。ただしその意味で、ルールを武器にするときには大事な注意点がある。

それは「それに従えば自分に不利になるようなときでもそのルールに従う」という徹底した姿勢。自分が不利になるようなときにはルールに従わないという姿勢をひとたび見せれば、相手も同じようにルールを無視してくるだろう。だから、どんなときでもルールを守るという固い信念が必要である。

自分には力がないから少しくらい自分が有利になるルール違反はいいだろうというのは話が逆。力がない者こそ徹底的にルールを守る。それが理不尽な相手に対抗する武器になるのだ。

何も自分がルールメーカーの権力者になる必要はない。上司が社内のルールに反して無理難題を言って来たら、守るべきルールを示して「私も守っているのだから、あなたも守ってくださいね」と合理的に対応すればいいだけだ。

リーガルマインドで「そもそも論」から考える

「ルールを重視して考える」という「フェアの思考」は難しいことではなく、実に簡単なことだ。自分が主張することは、相手にも認める。自分ができないことは、相手にも求めない。自分が相手の立場になればやるようなことなら、相手がそれをやっても咎めない。ただこれだけのことである。

その理解を深めるため、まずは誰にでも共通するルール、「法律」を題材として考えてみたい。

事例として取り上げるのは、少し古くなるが、2020年7月末、タレント山下智久さん（愛称山P）が未成年者と飲酒したと週刊文春が報じたことで、山下さんがタレント活動を自粛することになった問題。うちの子どもたちも関心を持ったようなので、この「文春砲」とその影響を題材に、僕は子どもたちに即席で「リーガルマインド（法的思考）」の授業を開いた。そのときの我が家のやり取りを紹介しておこう。

僕はまず、「未成年者が飲酒をしたら罰せられるのか？　そのとき、一緒にいた大人はどうなるのか？」

こう子どもたちに問うてみた。子どもたちは「そりゃ罰せられるでしょ。未成年者が酒を飲んだらあかん。その場にいた大人も一緒」と答えた。

僕は「子どもが酒を飲んだらあかんのは、その通りやけど、それは法律で禁じること？違反したら罰を加えられること？」と聞き直した。

子どもたちは「当然」と、法律で禁じて罰を加えることに何の疑念もない。僕はしつこく「道徳的にあかんということと、罰則まで付けて法律で禁じることに違いはないか？」と問うた。

もう子どもたちは、僕が何を聞いているか分からなくなっている。僕は「人間のある行為を、罰則まで付けて法律で絶対に禁じる理由はなんやろ？」と誘導しにかかった。

子どもたちは「その行為はあかんことやから」とトートロジー（同義語反復）に陥った。

僕は「何があかんことやの？」と聞き直す。子どもたちは黙り込む。

「道徳的にあかんことは世の中にたくさんある。その中から特にあかんものについて罰則を付けて禁じたものが法律。罰を付けるくらいやから、それは他人を傷つける行為を禁じるのを原則としている。殺人とか傷害とかね。未成年者が酒を飲んで誰を傷つける？」

子どもたちは黙ったまま。僕は一気に答えを論じてしまった。

「未成年者が酒を飲んでも他人を傷つけへんやろ？　自分を傷つけるだけや。だから本来は法律で禁じるものではない。そやけど、国が未成年者を『守る』という思想で、未成年者の飲酒を禁じる法律を作った。ここでの注意は未成年者を罰するためではないということ。未成年者を『守る』ことが目的だから、未成年者は酒を飲んではダメだよというルールにしているけど、それに反しても罰則の適用はない。

ただし未成年者を『守る』目的から考えて、親が子どもの飲酒を止めなかったり、営業者が未成年者に酒を販売したりした場合にはそれら子どもの周辺の者には罰則の適用がある。そもそも未成年者が酒を飲む行為自体は罰則を付けて禁じるほどのものではないので、周辺の大人たちを罰するのも親や営業者まで。一般の大人たちまでに罰則の適用があるわけではない。だから山下さんは法律違反ということではないんや」

子どもたちは「へえー」と、感心した顔をしてくれた。

未成年者の飲酒やそれを大人が黙認することは、法律で禁じて罰則を付けるようなことなのか。この問いに答えを出そうとすると、「そもそも罰則を付けて法律で禁じるのはなぜなのだろう?」と一段上にさかのぼって、「そもそも論」を展開する必要がある。これを僕ら法律の世界では「リーガルマインド」と呼ぶ。

目の前の事象についてどう対応すればいいか迷うときはいくらでもある。ルールがはっきりあればそれに従えばいいが、ルールが明確でない場合にどうすればいいか。またルールがあったとしても、そのルールが本当に正しいのか疑問を抱く場合にはどうしたらいいのか。

それには、いったん論理的に一段上にさかのぼって「そもそも論」を展開し、そこから答えを引き出してくるのである。このようなリーガルマインドを徹底的に習得させられるのが、司法試験でありその後の司法研修である。

現代国家日本には無数の法律があるが、それでも世の中のあらゆる事象を解決できるものではない。これだけ無数に法律があるのに、世の中にはどう解決していいのか分からない問題が次から次へと出てくる。

当たり前だ。人間の頭で考えられること・想像できることというのは極わずかなものだ。現実に生じる事象の全てを人間の頭の中で事前に把握して、すべて法律化するなんてできるわけがない。

だから現実の事象を目の前にしてどう解決していいか分からなくなったときに、今ある法律をベースに一段上にさかのぼって、「そもそもこの法律はどういう目的で作られたのか」という「そもそも論」を展開し、そこから文言には書いていないところの解釈を展開して解決策を導くのがリーガルマインド。つまり「どう答えを出していいか分からないときに、一定の答えを出す力」ということだ。

この力は僕が知事、市長、国政政党の代表という政治家を務めたときには大いに役立ったし、何よりも今、無責任なコメンテーターとしてメディアで持論を展開する際に、大いに役立っている。この思考方法によって僕ならではのコメントを導いていると思っている。

本章で提案する「ルールを重視して考える」という「フェアの思考」も、実はこのリーガルマインドの応用である。

独りよがりの正義を排除する

個人的感情や独りよがりの正義に基づくアンフェアな解決策を排するには、ルールに基づく解決という思考が重要である。僕自身が経験した事例として、2010年、府知事時代に「物議」をかもした朝鮮学校に対する補助金問題について取り上げよう。

当時、「ミサイルをぶっ放した北朝鮮が気に食わない。拉致問題も解決していない。だから朝鮮学校なんかに補助金を出すな!」という議論が沸き起こっていた。「北朝鮮憎し」という感情的反応から一足飛びに結論に至る稚拙な思考だ。僕に言わせれば、これはアンフェアの思考の典型。

そうではなくて、僕は知事として「朝鮮学校に限らず、私立高校全体に適用されるルールをまずしっかり作って、それに当てはめて解決しよう」と考えた。決して朝鮮学校だけを狙い撃ちするのではなく、教育の政治的中立性を保つための公平・公正なルール作りから始めたのである。

そして府庁の役人や専門家とのオープンな議論を経て、府のルールとして私学全体に対する補助金の支給要件を4つ定めた。

①特定の政治団体と一線を画すること②特定の政治指導者を崇拝しないこと③教科書は学習指導要領に則ること④財務諸表は公開すること。

この4要件を設定し、朝鮮学校と協議すると、学校側は①③④を満たすように努力した。府庁側も③を満たすために教科書を全部点検し不適切なところを修正させた。このような作業をこれまでやってこなかったこと自体が問題だったのだが。

そして残るは②の要件。朝鮮学校は教室からは金《キム》一族の肖像画を外したが校長室からは外さなかった。ここはどうしても外せない、と。したがって、仕方なく大阪府として「補助金は出せない」という結論に至った。

もちろんこのルールを重視するというやり方は、今後学校側が②の要件を満たせば、どれだけ日朝関係が悪化しようと、拉致問題が未解決だろうと、朝鮮学校に補助金を出すことを約束するものである。日朝間の政治的状況や、日本国民の北朝鮮への感情に左右されることなく、要件を満たして教育上問題がない学校であると判断できれば補助金を出すという解決策だ。

これが「フェアの思考」である。当時、大阪府が全国に先駆けて朝鮮学校への補助金を止めたので、「権力の濫用だ」「子どもの教育を受ける権利を侵害している」などと猛批判を浴びた。

しかし、僕には憲法を念頭に置き「私学全般に適用されるルール」を意識し、オープンな議論によってルールを作った上で、それに則って公明正大に権力を行使したという自負がある。結論に賛否はあるだろうが、フェアという点においては一点の曇りもない。

知事・市長という立場でルールを作るというのは、一般の人が経験しない特殊なケースと思うかもしれないが、ルールを重視して解決するという僕の思考のプロセスは、どんな組織のどんな場面にも応用可能な「フレームワーク」として参考になると思う。

たとえば、職場のチーム内で価値観が対立する課題にぶつかったとき。特定のメンバーや特定の案件を狙い撃ちするようなルールではなく、メンバー全員に、どんな案件にも公平・公正に適用されるルールを作って、メンバー間の価値観に左右されない解決策を導いていく。これがルールを重視する「フェアの思考」だ。

「表現の自由」をめぐる僕のルール

2019年8月に起こった、あいちトリエンナーレ「表現の不自由展・その後」をめぐる中止騒動も、少し時間は経っているが、「ルール」というものへの理解を深めるには絶好の事例だと思う。

この騒動は、極めて政治的要素を多分に含んだ作品、しかも色々なイベントで出展不可となった作品を集めて展示するというかなりチャレンジングな自治体主催の芸術イベントをめぐるものだった。

慰安婦像をモチーフにした作品や、昭和天皇の肖像画を燃やす動画が組み込まれた作品が展示されることになり、「反日作品展は中止しろ!」という猛反発の意見が噴出した。他方、続行を求める側は「芸術や表現に政治や行政が介入すべきではない!」「芸術の自由や表現の自由を守るべきだ!」と叫ぶ人が多かった。

この騒動を論じるには、表現の自由は大切なものであるにせよ、前提としてまず政治的要素を含む芸術や表現活動に対して公権力が発表の場を提供することや、公金によるサポートをすることには、大きな危険性が伴う場合があるということを肝に銘じておかなければならない。政治的要素を含む芸術・表現活動について、「政治権力はしっかりサポートしろ！」と単純に言うわけにはいかないのである。

物事には必ず表裏がある――これは僕の思考の大事な軸でもある。だから当然、表現の自由についても表と裏、両面から考える。

問題となった作品は、権力を擁護するものではなかったので、芸術の自由や表現の自由を重視する者たちは「中止にするな！」「自由を守れ！」と叫び続けた。しかし逆に権力を宣伝する作品があった場合にも、芸術の自由・表現の自由を守るということでイベントを続けてもいいのか。

そんな政治権力が自ら主催・サポートする、権力に都合の良い芸術の自由・表現の自由を守っていいはずがない。もし守っていいとしたら、ときの政治行政権力は、大量の公金をどんどん使って、自分たちを正当化する宣伝行為（プロパガンダ）を芸術や表現の名を語って無制限にしていくことも可能となってしまう。

こう考えるだけで、芸術の自由や表現の自由であっても完全なる自由は存在せず、アウト・セーフのラインがあるということが分かる。

ただしここで重要なのは、その表現行為の「内容」が良いか悪いかでアウト・セーフのラインを引いてはいけないということだ。それは内容については、それぞれの価値観や正義によってアウト・セーフのラインが左右され、収拾がつかなくなるからである。


したがってある政治的要素を含む作品を公の施設で展示する場合には、対立する政治的要素を含む作品や他の政治的考えに基づく作品にもきちんと発表するチャンスが与えられているかどうか、すなわち「手続き的な公平性」が保たれているかどうかをチェックすることが重要なのだ。

手続き的な公平性とは、作品の「内容」を吟味するのではなく、出品するための「外形的なプロセス」を吟味して出品のチャンスの公平性・中立性を保っていこうという考え方だ。つまりルールを重視する「フェアの思考」に基づくものだ。

ゆえに政治的要素が含まれる作品については、政治行政権力の主催者が作品の内容を見て展示の是非を判断するのではなく、抽選で決めることが最善策となる。

ただし抽選方式は、主催者の主観に左右されることなく、様々な政治的主張が作品を通じて表現される可能性が高まるが、逆にまとまりのない展示になったり、偏りのある展示になったり偶然に左右される可能性もある。あまりにも偏りのある展示になりそうな場合には、説明責任を果たした上で主催者の例外的な介入が認められる場合もあろう。

これがときの政治行政権力の「一方的なプロパガンダ」を阻止する重要な手段となる。これは地上波テレビ放送に求められる政治的公平性の趣旨と同じである。

この点、公金を使う場における政治的要素を含む表現（芸術）行為について、それがときの政治行政権力の宣伝となっていれば禁止し、宣伝となっていなければ認めるというように、「内容」で判断すればいいじゃないか、という意見もあるだろう。

しかし、芸術「内容」や表現「内容」によって、事前にこれは良い、これは悪いと判断してしまうと、それこそ芸術の自由、表現の自由が萎縮してしまう。

加えて何がときの政治権力の宣伝で、何がそうではないのか。その判断基準を定めるのは大変難しく、結局、ときの政治権力の判断しだいで自らの宣伝になる作品ばかりの展示になってしまう可能性もある。

したがって、内容で判断するのではなく、イベント全体として政治的要素にバランスが取れているか、一方的な偏りがないか、そのために幅広く出品のチャンスを多くの者に与えているかという手続き的な公平性の視点でアウト・セーフのラインを考えるべきなのだ。

念のため断っておくが、これは公金が使われているイベントでの話であって、公金が一切使われない純粋な民間人がやるイベントにおいては、どんな作品をどのように展示しようが法律に触れたり、後に述べるような名誉棄損的、侮辱的表現になったりしない限り全くの自由であることはもちろんのことだ。

「ヘイト」であっても「事前に」「内容」で判断してはいけない

僕の大阪市長としての経験も紹介しておこう。

大阪市が設置する区民ホールは、基本的にはどんな政治集会を開いてもOKである。僕は市長時代、全国初のヘイトスピーチ規制条例案をまとめたが、たとえヘイトスピーチの集会である疑いがあっても、区民ホールの利用を事前に禁止しないと決めた。

この点、インテリたちからは、「ヘイトの集会なんだから、そんなの事前に利用禁止にしろ！」という声が上がった。

しかし彼ら彼女らは、「内容」による判断が難しいこと、それは危険性を孕むことを知らない。「内容」による判断を政治権力に許してしまうと、今度は自分たちの表現行為も事前規制される恐れが高まることに頭が及ばない。

その表現行為がヘイトかどうかを誰がどのような基準で判断しろというのか。基準が不明確なまま事前に禁じることを認めれば、何も問題ない表現行為まで禁じられる危険性が出てくる。そして場合によってはヘイトという概念を巧みに使って、ときの政治権力が、自分たちに都合の悪い表現行為をヘイトとして禁じてしまう恐れも出てくる。

このような意味で表現行為の是非を「内容」によって事前に判断することには、慎重でなければならないのである。

ゆえに大阪市のヘイトスピーチ規制条例は、「内容」による事前規制判断はできないとして、たとえヘイトの疑いがあろうとも、区民ホールや公園利用などを事前に禁じることはしないという結論に至った。表現の自由を尊重したのである。

その代わり、実際にヘイトの表現行為がなされたときには事後的に審議会の審査によってヘイト認定し、公表することにした。

もちろん、場合によっては刑法犯として処罰される場合があるし、民事上の賠償責任を負わされる場合もあるが、これらは裁判所によって事後的にヘイト認定された場合であり、ときの政治権力が事前に規制するのとは異なる。

事後的な規制はいったん全ての表現行為を認めた上で、ヘイトかどうかを判断する。事前規制はその危険性を頼りに規制し、場合によっては世に表現されることを封殺するものだ。事後規制は必ず世間の目に触れる。しかし事前規制は世間の目に触れない場合も出てくるのだ。世間の目に触れないことは非常に危険だ。国民が表現行為の善し悪しを判断できないからだ。

このような視点から、大阪市設置の区民ホールは、外形的に犯罪行為などに当たらない限り、原則としてあらゆる政治集会を認めているのである。

ただし、市民に利用チャンスは平等・公平に与えられるようにしなければならない。僕は市長時代、区民ホールの利用希望者に対する抽選プロセスがきちんと平等・公平になっているかを徹底的に吟味した。そして一部の者が高頻度で利用している実態があったのでそれを正した。これらは集会（表現）の「内容」を吟味したのではなく、集会（表現）のチャンスを与えるプロセスが市民全体に平等・公平になっているかを吟味したのである。

プロセスや公平性によって判断する

他方、政治的要素の入った集会やイベントなどに、大阪府・大阪市が協賛や後援することは、厳格に一律に禁じた。

平和集会や教育集会、人権集会などであっても、政治的要素が少しでも感じられるものには、大阪府・大阪市が協賛者、後援者として名前を貸すことは一切禁じたのである。通常このような集会には行政が協賛、後援することは普通だし、これまで長年、府・市も協賛者や後援者として名前を貸していたので、僕が一斉に禁じたことによって、それらの主催者から猛反発を食らうことになった。

特に、集会やイベントの「内容」が、インテリたちが好みそうなものであれば、なおさらこれらインテリたちから猛批判を食らった。「大阪府・大阪市は、平和や教育や人権から距離を置くのか！」と。

違う。基準が曖昧なまま、政治的要素の入った集会やイベントに大阪府や大阪市という公権力が協賛者・後援者として名前を連ねることを許すと、今度は公権力が、自分たちに都合のいい集会やイベントを後押しする危険も生じてくる。大阪府や大阪市に好かれれば、府・市の協賛・後援を取ることができ、嫌われれば取ることができないという不平等が生じてくる。実際、大阪市は、歴代市長が選挙における支持を固めるためにそのようなことをやっていたとも言われている。

この点、全てに名前を貸したらいいではないか、それで公平は保たれるではないかという意見もあるだろう。しかし、大阪府内や大阪市内での政治的要素を含む集会やイベントは無数にあり、府や市が申し出のあった全てに協賛者・後援者として対応することは事実上コントロール不可能である。

以上のような考えから、大阪市設置の区民ホールにおいては、政治的要素が入っていたとしても「全ての」集会（表現）活動に利用を許し、他方、政治的要素が入った集会・イベント（表現）活動には、大阪府・大阪市が協賛者や後援者として名前を貸すことを「一律」禁止としたのである。

これが、表現の「内容」によって個別判断するのではなく、外形的なプロセスや公平性・中立性を基に判断する「手続き的な公平性」という考え方だ。

公権力が主催するあいちトリエンナーレ「表現の不自由展・その後」に話を戻すと、政治的要素の入ったあらゆる展示物を「全て」認めるか、政治的要素の入った展示物は「全て」禁じるかの二者択一で判断するしかなかったと思う。展示物の内容で判断してはならない。

全てを禁じるなら「表現の不自由展・その後」は公権力主催としてはできない。やるなら民間主催でやってもらうことになるが、一律禁止の方が混乱は生じなかっただろう。それはある意味楽なことだ。

しかし、もし混乱を招いたとしても公権力がそのイベントにあえてチャレンジする、というのであれば、政治的要素の入ったあらゆる展示物を「全て」認める方向でやるしかない。そしてその際の一番のポイントは、あらゆる表現者にチャンスを平等・公平に与えなければならないというプロセスの部分であり、抽選方法が厳格に行われたかどうかである。主催者である公権力が表現内容で判断してはいけないのだ。

「反日」かどうかは基準ではない

表現の「内容」によってアウトかセーフかのラインを引くことは非常に難しいとしても、膨大な名誉棄損事案や侮辱事案の裁判例として積み上がってきたラインは活用できる。すなわち、名誉棄損や侮辱の表現はダメでしょ、ということは言えるはずだ。

「表現の不自由展・その後」の展示物は、「反日だ！」ということで猛批判されたが、僕は「反日」というラインは非常に危険だと思う。これほど曖昧な基準はないし、「反日」

というラインこそ、ときの政治権力に利用される危険性が高い。

そして現代の日本社会においては、政治権力が「反日」という言葉で意に沿わない国民を排除していく危険性よりも、国民同士で「反日」のレッテルを貼ることの気持ち悪さを僕は強く感じる。

このように国民同士が「反日」のレッテルを貼り合い、特定の国民を排除していく延長線上に、政治権力が意に沿わない国民を排除していく流れが出てくると思う。民主国家においては国民の気分が政治の流れを作っていく。先の大戦も、国民が戦争を後押ししていた気分は否めないし、そこでは戦争に非協力的な者に「非国民」のレッテル貼りが行われていた。

「反日」のレッテルを貼ることで全ての批判を封じるのは民主国家としてはあるまじき行為だ。

すなわち「表現の不自由展・その後」の昭和天皇の肖像を焼く作品や、特攻隊員を「間抜けだ」と揶揄すると解釈された作品は「反日」だから問題なのではない。個人の肖像を焼いたり、亡くなった者を間抜けだと揶揄したりすることは、その家族やご遺族に対する名誉棄損的・侮辱的な表現だから問題なのだ。

もし「反日」というラインを設定してしまえば、昭和天皇の肖像でなく普通の個人の肖像を焼く作品であればどうなのか、特攻隊員ではなく普通の亡くなった個人を間抜けと揶揄する作品であればどうなのか。普通の個人であれば「反日」だと言うことができなくなり、そのような作品の展示を認めることになるのか。

僕は違うと思う。死者を含む個人の名誉を棄損したり、侮辱したりする表現は、昭和天皇や特攻隊員に限らず、あらゆる国民に対して許されない。

また、「反日!」を叫ぶ人は、昭和天皇の肖像を焼いたり、特攻隊員を揶揄したりする作品のイベントは公金を使ってやるべきではない、と言う。では、公金を使わない民間イベントならいいのか。それも違う。死者を含む個人への名誉棄損的・侮辱的表現は、公金が入ったイベントだけでなく、民間イベントでも許されないと思う。

フェアな口の出し方

芸術の自由や表現の自由だけを重視する立場の人は、「政治行政はいったん芸術イベントに金を渡したなら、あとは口を出すな!」と主張する。逆に、特定の作品について「反日」で許されないと叫ぶ人たちは、「公金を出した以上、政治行政が口を出すのは当然だ」と主張する。

両方とも極端すぎる。金を出した者が口を出さないということは、責任も負わないということであり、全ては現場の責任になるということだ。これはガバナンス上、非常に危ない。やはり公金を出した者が責任を負わなければならない。そのためには口を出す一定の権限を認める必要がある。

他方、公金を出した者が口を出すことについては、「表現の自由を保障する憲法21条違反だ！」という意見が声高に叫ばれたが、それも違う。国民の一般的な表現活動が政治行政に妨げられたなら、それは憲法21条違反の問題が直ちに生じる。しかし芸術イベントのような特定の事業を運営するマネジメントの一環として、組織内の上司（決定権者）が部下に対して口を出すことが憲法違反になるのか。そんなことはない。

民間の企業活動と同じく、政治行政が関与する事業にも事業方針があり、事業に参加するそれぞれのメンバーにはその方針に従ってもらわなければ事業など成り立たない。たとえば大阪では、2025年に大阪・関西万博が開催されるが、吉村洋文大阪府知事や松井一郎大阪市長は、「医療技術」を中心とした万博にしたいという方針を持っている。

そのような方針が大阪万博方針として確定した場合、パビリオン等を出展するある参加者が、公然わいせつにならない範囲で性をテーマに様々なパフォーマンスを行う催しを計画した場合、どうすべきか。

吉村知事、松井市長、そして万博実行委員会は、当然中止を要請するだろう。そのときに、パフォーマンスを行う者たちが「表現の自由を守れ！」と言ってきても、「これは万博の事業だから、その事業方針に沿う出展や表現をしてもらうのは当然のことであり、表現の自由などを持ち出す領域ではない」となるはずだ。

公権力が関与する事業である以上、展示などがその事業方針にふさわしいかどうかは常に問われるのであって、そのチェックは表現の自由を直ちに侵害する問題ではない。単なる事業チェックの問題だ。

「表現の不自由展・その後」の企画も、あいちトリエンナーレという芸術イベント事業の一環である。当然、あいちトリエンナーレの事業方針に沿ったものでなければならない。ゆえに、トリエンナーレ実行委員会会長である大村秀章愛知県知事が事業運営の責任者として「表現の不自由展・その後」に中止を求めたのは当然のことである。

これは作品の内容を個別に判断するものとは異なる。事業方針に基づく事業自体の中止なので、表現の自由の侵害の問題ではない。

事業の中止を求められた作家は、個人での表現活動全般を否定されたわけではなく、あくまでも、あいちトリエンナーレにおいての展示を中止させられただけである。作家たちは、別の民間イベントや個人の活動で展示できるのであり、この点においても表現の自由が直ちに侵害されたものとは言えない。

このように「表現の不自由展・その後」の企画中止決定の騒動は、個別作品の内容によって展示の可否を決めた話ではなく、また政治行政権力が一般市民の表現の自由を完全に侵害した話でもない。事業の運営責任者が事業方針通りに事業運営を行ったという単なる組織マネジメントの話なのである。

ところが関係者やメディアのコメンテーターにフェアの思考が乏しかったので、表現の自由をめぐる問題となってしまい、「反日表現は中止しろ!」「表現の自由は守れ!」という大騒動になってしまった。関係者は「フェアの思考」に基づき、組織マネジメントの話としてしっかり説明をすれば大騒動にはならなかったと思う。

現場無視のルールが温存される理由

ルールを重視する「フェアの思考」の応用編として、コンプライアンス（ルール順守・内部統制）について整理しておこう。

僕が企業研修で講演したときなど、現場で働く人から「橋下さん、とにかく現場無視のルールが経営陣、管理職のほうからいっぱい来て、全部守っていたらとてもじゃないけど仕事が回らないですよ」といった不満の声を聞くことがある。

役所や民間企業においては、膨大な内部ルール（行動基準）が設定されていることが多いが、ダメな組織ほど、ルールを作りっぱなしにして、その形骸化が起きている。

現場無視のルールを放置しておいていいわけがない。仕事の妨げになるルールがたくさんありながらも現実に仕事が回っているのは、それらのルールが全く無視されているということだ。コンプライアンス的には最悪の状態だ。すぐにそのルール自体を見直さなければいけない。

しかし現場の声だけで経営陣を動かしてルールを変えるというのは相当難しい。だから現場は現場に合わないルールをいちいち変えようとしなくなる。とにかく目の前の仕事を回すことを優先し、ルールを無視することになり、それが常態化する。そして、経営陣や管理職は現場のルール無視に気づかなかったり見て見ぬ振りをしたりする。こうして現場無視のルールはどんどん増えて温存され、ルールの形骸化が拡大していく。

組織が不祥事を起こしてしまう最たる原因はこの構造にある。現場でのルールの形骸化が生じると必ず大きな不祥事につながるのだ。

もともとは小さなルール順守違反。「こんなルール、全部きっちり守れるわけないよ」ということで、現場のほうで一部のルールについて無視が始まる。それが放置されると、「このルールも厳し過ぎるから、ちょっと無理だな」とまた別のルール違反がどんどん積み重なっていく。気づいたときには大きなルール順守違反になって、最後は大きな不祥事になってしまうのだ。

僕は知事・市長時代、ルールの形骸化を常に気にしていた。役所の中にはルールが山ほどあるが、それを完璧に守っていたら現場が回らないからと無視するケースが多かった。

たとえば、外部に書類を郵送する際、外部にメール送信する際の宛先や封入物、記載事項のチェック。役所では一日に何万通も発送・発信するからたまに宛先ミスや封入物の入れ間違いなどが起こる。その度に役所の幹部が記者会見で頭を下げていた。

そして、対処方法として幹部から僕のところに上がってくるのは、いつもチェックの徹底・強化。「職員2人でチェックします」（ダブルチェック）、それでもミスが生じると「現場でダブルチェックして、上司がまたそれをチェックします」（トリプルチェック）などとチェックが何重にもなる対処方法ばかりが提案されてくる。

あるとき「ダブルチェック、トリプルチェックと言っているけど、本当に全部やっているんですか？」と現場を確認してもらったら案の定、全部はできていなかった。厳密に全ての発送物、発信物をダブルチェック、トリプルチェックしていたら他の業務に支障が出るというわけだ。

そこで僕は「それはルール違反ではないですか？　無理なら無理と言ったほうがいい。もし全部できないんだったら、きちんと守れるルールに変えなきゃいけないんじゃないですか？　ミスを完全にゼロにするには膨大な労力が必要になります。ここは発想の転換でミスはあるという前提で最大の効果を発揮する新しいルールを作りましょう。ミスが生じた場合には市長はじめ幹部がしっかりと説明しましょう」と話した。

人間がやることなのだから必ずミスはある。それを幹部は無理やりゼロにしようとして、現場無視のダブルチェック、トリプルチェックに固執していた。もちろんミスが人の命にかかわるようなものであれば、ミスをゼロにしなければならない。しかし発送物、発信物の中には、人命にかかわるものではなく、ミスがあってもなんとかなるものも多かった。

それら全てを一緒くたにしてミス・ゼロを目指し、膨大な職員の労力をかけることによって、他の仕事に支障を来すということは最悪だ。まず幹部の認識も含めてルール自体を変えないと、同じことの繰り返しになる。

そこで「たとえば、案件ごとに人間の行動パターンとしてどれぐらいミスが生じるのかというのを専門家に聞いて、ある程度の数値基準を作ったらどうか。特に民間でも生じるミスの範囲内であれば、市長である僕が責任を取る。『すみません』と市民に頭を下げるのは政治家の仕事だから」と伝えた。

ダブルチェック、トリプルチェックと無制限に人員を割くというのは不可能だ。だからどんな書類や発送物にそれをやるのか、どれくらいまでだったらミスは許容できるのかといった基準が必要だし、それを明確にするのが幹部、マネジメント層の仕事だろう。

こうした発想も「フェアの思考」に基づいている。先の章で説明した「相手の立場に立って考える」の応用だ。「自分がその立場に立ったときにミス・ゼロでやれるか。人間誰しもミスはあるのだから、ここまでは認めよう」という思考。加えて、自分がミスするのに相手にはミス・ゼロを求めるというのはダブルスタンダード、アンフェアでもある。やはり自分でもミスする可能性のある範囲で、相手のミスも同程度認めなければいけない。

最も重要なことは「事案の選別」

では、どうしたらルールが必ず守られるように、その実行性・実効性を確保できるのか。一部繰り返しになるが、改めて整理しておきたい。

なぜルールは形骸化するのか。現場が必ず順守することを考えたルールにせずに、紋切り型のルールを作って満足してしまうからだ。これは役所に限らず、巨大組織、いや組織の性だと思う。

問題が発生して、それに対応するためのルールを一応作る。しかしそのルールは現場では守ることのできない代物。当然、また同じミスが生じる。同じミスが生じたときには、現場のルールは形骸化していると考えたほうがいい。

だからルールを作る際には、それが現場で必ず守られるように実行性・実効性を確保することに頭を使うことが重要だ。そして、そのために最も重要なことは「事案の選別」である。つまり、事案の性質・軽重に応じてルールを考える。全ての案件に同じように対応するという過剰対応が最もよくない。

行政の個人情報の漏洩事案で言えば、仮にちょっとした誤送信であれば、すぐに謝罪すれば何とか事態は収束するはずだ。だからちょっとした誤送信を100%完璧に防ぐために、膨大な人員を用意すべきかと言えば、前述の通り「否」である。

後で謝れば済む事案と、謝っても済まない事案とを区分けする。その上で、前者は通常の事務処理の中で最善の注意を払い、ミスが生じれば誠意をもって謝罪する。後者には特別の人員を配置し、特別なチェックプロセスを設定する。このようなメリハリをつけることこそが、ルールの実行性・実効性を高めるのである。

注意したいのは、ルールの実行性・実効性を高めるために人を増やすことに表立って反対する人はいないという点だ。無責任な政治家、インテリ連中ほど金・財源のことを気にすることなく「人員を増やせ！」と叫ぶ。

金の責任を負わなければ、いくらでも理想論を語ることができる。しかし行政のトップはこの金の苦労があるから、「そんなことは言われなくても分かっている。分かっているけど金が……」という、もどかしさに苦しむ。

何か問題があるたびに、行政が旗を振って人員増の対策を進めれば、行政の予算は際限なく膨張していく。しかし日本にはそこまでの余裕がないし、もっと違うところに金を使わなければならないという優先順位もある。

課題を見つけ、その対策を考え、それを実行するために人員を増やさなければならないというパターンは非常に多い。だからこそ金の用意ができるかどうかはルールの実行性・実効性を確保するための重要な要素とも言える。

さて、その際の人員増は誰が決めるべきか。これはもちろん課題を解決する最終責任を負う者が、人員増についても決定権を持つべきである。国政なら首相、都府県政なら知事、民間企業なら経営者だ。こうした「権限と責任の一致」はフェアの思考における柱の一つにもなっている。

トップが組織全体の視点と責任を負って判断する

役所でも企業でも、ルールが現場の作業に合わないからと、現場が正式なプロセスを経ずにルールを事実上変えてしまうということがよくある。これはコンプライアンス上、一番やってはいけないことだ。重大な不祥事事案のほとんどは、現場の勝手なルール変更から起きている。

インテリの中には「現場重視」を最善とし、現場がルールを設定することが最も現実に沿うと言う者が多い。しかしそんな単純な思考では、重大な不祥事事案の発生を防ぐことはできない。

数年前に問題になった神戸製鋼の不正検査がその典型例だ。会社が定めた品質基準には厳格過ぎるところがあった。そこで現場は、社としてのルール変更の正式なプロセスを経ることなく、実際に品質を保つことができるのであれば社の品質基準を満たさなくてもいいという現場独自のルール変更を行った（現場では「トクサイ」と呼ばれていたが、顧客仕様やJISなど公的規格の違反もあった）。

結局、品質基準違反が常態化しているにもかかわらず、社としてルール違反があることを認識できなくなっていたのである。このルール違反が公になったことで、神戸製鋼の信用は国内外でガタ落ちとなり、民事賠償や不正競争防止法違反の責任も負わされた。

本来は、社として一度定めた品質基準が現場にとって妥当なのかどうかを検証すべきであった。この品質基準の設定が現場の状況を無視したルールになっていたことは否めないだろう。ゆえに現場が品質基準を守ることができなくなりそのルールが形骸化してきた。そして最悪の、現場による独断のルール変更という事態に陥ってしまったのである。

現場は独断で品質基準のルール変更をするのではなく、それが現場にそぐわないルールなのであれば、ルール変更の権限を持っているところにまで意見を上げて、正式な品質基準のルール変更のプロセスを踏むべきだった。

経営側の判断によってルール変更が認められない場合もあるだろうが、仮にそのような場合でも、経営陣は現場がルールを守ることができるように現場の体制を整えるべきだったのである。

「役割分担」を重視する

ルールに基づく対応をレベルアップするには、現場が培ったノウハウに基づいて、現場レベルから積み上げるボトムアップ型の行動基準・ルールの設定・見直しが必要となる。

これは組織のトップの目だけでは不可能だ。どのようなときにどのような行動を取るべきか。事案の種別ごとの行動基準・ルールをさらに詳細に設定していく必要がある。それは現場で設定していくしかない。

ただし、現場任せにすることによって自然発生的に適切なボトムアップの動きが生まれるわけではない。何でもかんでも現場任せ・現場を信用していればいいというものではない。トップが「ボトムアップ型の行動基準・ルールの見直し・設定をせよ！」という号令をかけることからボトムアップの動きが生まれる。

これが組織トップ、経営陣などのマネジメント層と現場の役割分担だ。そして一定期間ごとに、現場発の検証・見直しが行われるようにシステム化することもトップや経営陣の仕事である。

経営陣と現場との役割分担を明確化し、現場に委ねるべきところ、委ねるべきでないところをはっきりさせる。この役割分担を決めるためにも経営陣と現場とのコミュニケーションが重要なのだ。

ルールは「作ること」が目的ではない。それを「実行・実効して結果を出すこと」が目的だ。このルールを実行・実効する上では、結局のところ、経営陣と現場とのコミュニケーションが重要なポイントになる。

僕も知事や市長当時、自らが作ったルールが形骸化しないように現場とのコミュニケーションを重視していた。現場がこのルールはおかしいと感じれば、組織においてシステム化された正式なルール変更のプロセスに入るように繰り返し組織にメッセージを出した。それが実際100％完璧にできていたわけではないだろうが、それでも現場に僕の意図は伝わっていたと思う。

コミュニケーションを取りながら、現場に委ねるべきところは現場で行動基準・ルールを作らせる。現場に委ねるべきところに経営陣が逐一口を挟んでも、現場を無視したものになってしまうのだから。

しかし、現場に委ねるべきでないところ、すなわち経営陣が組織全体の視点からしっかり口を出すべきところは、経営陣がトップダウンで号令をかけるべきだ。

もちろん現場の意見をしっかり聞いた上での話だが、経営陣がやらなければならないところを、現場任せにしてはいけない。現場は現場の視点で判断するものであって、組織全体の視点をもって判断できるわけではない。現場が常に正しい判断をするわけではなく、組織全体の判断は経営陣が責任を持ってやるべきだ。

「役割分担の重視」という考え方は僕の持論である地方分権論をも支えている。

現在、国際情勢は激しく動いている。中央政府は中央政府の仕事に集中しなければ、国の安全保障を確立することはできないし、国際的な貿易戦争も乗り切れない。中央政府の役人は、各人が持つ権限を手放したくないのかもしれないが、日本の国、国民のことを考えれば、中央政府は国が本来やらなければならない仕事に特化し、地方自治体に委ねるべき仕事については、権限も責任も金も地方自治体に任せるべきである。

今は医療・福祉・教育の内政問題についても広く中央政府が権限と責任と金を持つことから、中央政府があらゆる政策を立案し、地方行政に事細かに口を出し、結果予算の膨張にも歯止めがかからない。

この日本国を適切に引っ張っていくための組織マネジメントとして最も重要なキーは、中央政府と地方自治体の仕事の役割分担を明確化し、地方自治体がやるべき仕事については、首相や中央政府が、「それは地方の権限と責任だ！　地方が金を用意できる制度を作るのでしっかりやれ！」と地方を突き放すこと——。

このような僕の地方分権論は、マネジメント層と現場が呼応しながら作るコンプライアンスの仕組みと同じく、「役割分担の重視」という「フェアの思考」を基礎としているのである。

「ダブルスタンダード」と「適正なルール変更」の違い

ルールの変更は適正な手続き・プロセスを踏んで行わなければならない。勝手なルール変更は先にも論じたように現場を統制できなくなって、ついには不祥事・重大事故が生まれる最大の要因になるとともに、絶対にやってはいけないダブルスタンダードにもなってしまいがちになるからだ。

相手によってルールを変えるというのは典型的なダブルスタンダード、アンフェアな思考だ。

結論に合わせて自分の中にある思考の基準を変えるというのも、ダブルスタンダード。ある問題について考える際、Aの結論を得るためにAのルール、Bの結論を得るためにBのルールを当てはめるというのは、やはりアンフェアだ。ルールは一つにするのが「フェアの思考」だ。

もちろん、環境の変化によってルール自体を適正に変えるということは当然あり得る。ただしルールを変更するときには、結論ありきではない形できちんと適正に手続きを踏んで変えることが必須だ。

その際には自分を有利にするために、相手を不利にするために、結論を良く見せるために、自分が望む結論を導くために、という意図を働かせては絶対にいけない。


今回の新型コロナ禍において、吉村洋文大阪府知事が2020年5月に出した、社会経済活動を抑制するかどうかの警戒・非常事態の数値基準いわゆる「大阪モデル」（黄・赤・緑の3色で警戒レベルを表示）は、7月と12月に変更され、「本来だったら黄色や赤色になるのに、それを避けて緑を維持するために基準・ルールを変えたんじゃないか」と批判された。つまり、「結論ありきで変えたんじゃないか」と見られたわけである。

「その基準・ルールを当てはめると都合の悪い結論（警戒・非常事態となって社会経済活動が抑制される）になるからと言って、ルールを変えるのは科学じゃない」という批判もあった。確かに科学的にはそれはダブルスタンダードになり、アンフェアになるかもしれない。しかし、「コロナ禍において社会経済活動を抑制するかどうかの数値基準はあくまでも政治の判断基準だ」という反論もできると思う。

そもそも黄色を点灯するのか緑色を点灯するのか、純粋に科学的なコロナ感染リスクをもって大阪モデルという基準を作ったわけではないだろう。あれは感染症の専門家の意見も含めていろんな意見を聞いて、感染抑止と社会経済活動のバランスをとるための総合的政治判断をするための基準だった。つまり、感染抑止の話だけではなく府民生活という経済の話も含めて判断しなければならない、まさに政治の判断基準と言える。

感染抑止と社会経済活動を両立させるというのが大きな政治マネジメントであるが、感染症の専門家はとにかく感染症を抑え込むことだけを考える。経済の専門家はとにかく経済を動かすことだけを考える。両方のバランスを取るのが政治家の役割であり、大阪モデルがその政治判断をするための基準だとすれば、ときの状況に照らし合わせながら、適正な手順を踏んで基準を変えることは問題ないし、むしろ大阪府民全体の利益に資する。

つまり大事なのは、その基準・ルールの目的、性質というものを、先にも論じた「そもそも論」から考え、基準・ルールの変更の必要性があるのであれば、適正な変更のプロセスを踏んで変更するということだ。一度決めた基準・ルールに頑なに固執することも全体の利益を失する。にもかかわらず単純に「基準・ルールの変更は、ダブルスタンダードで絶対に許されない」などと批判するのは、「フェアの思考」の欠如と言える。

「適正なルール変更」の条件

このような論を踏まえ、改めて大阪モデルの基準・ルール変更のプロセスを簡潔に評価してみよう。

最初の変更は適正なプロセスを踏んだとは言えなかった。吉村知事の一存でいきなり変えたと言われても仕方がなかった。そこは追及されてしかるべきだ。吉村知事は「機械的に基準・ルールを適用して黄色だから社会経済活動を抑制するというほうが大阪の利益を害する。必要があれば基準・ルールを修正し、よりいいものにしていく姿勢が必要だ」と説明していたが、適正なプロセスを踏んでいなかったことは否めない。

「フェアの思考」で考えれば、「大阪モデルは科学判断の基準ではなく政治判断の基準だ」というそもそも論を展開し、感染症の専門家と経済の専門家、それに行政職員や政治家なども入れてオープンに議論し、そして最後に「知事の責任で基準を○○のように変更する」と決めていれば、適正な基準・ルール変更になったはずだ。その意味では、2回目の大阪モデルの基準・ルール変更は適正なプロセスを踏んでいたと思う。

一度定めた基準・ルールは絶対的な正解ではない。間違っている可能性もあるし、状況によっては変えるべき場合もある。もともと間違っていたのなら率直に「間違っていた」と表明・謝罪し、状況によって変更するなら適正な変更プロセスを踏む。こうすればダブルスタンダードにはならない。

「一度決めた基準・ルールを絶対的なものとして扱わない」というのも「フェアの思考」の原則の一つなのである。

第4章　自分の思考の「軸」を見える化する

フェアの思考は「あなた自身の中」で完結する

この章では、改めて「フェアの思考」を深掘りしていこう。

「フェアの思考」とは、絶対的な正義や正解を求める思考方法ではなく、自分自身が矛盾した主張・態度をとっていないのかという、究極の「我が振り」の見つめ直しである。すなわちフェアかどうかは、すべてあなた自身の中で完結する。言ってしまえば、自分の中に矛盾がなければよし、矛盾があればダメというのが「フェアの思考」だ。

この思考方法を習得するのはなかなか難しい。それは、人間誰しも絶対的な正解を求めるし、自分が正義だと思いたいからだ。正解を求め、自分が正義になるような教育を受けてきた影響も大きい。

そうではなく、自分自身の「思考の軸」は何なのかを追求していく。「それは自分でやれるのか、やれないのか。自分は欲するのか、拒否するのか。自分の本質的な考えはどのようなものか」と。そしてそこで導かれた持論はそのまま相手にも認めるというのが「フェアの思考」である。

だからなおさら「フェアの思考」は難しい。「フェアの思考」を徹底すると、自分が求めるものを相手にも認めることになるので、自分に不利な結論や相手に有利な結論もいったん受け入れざるを得ない場面にでくわす。その上で、さらに自分に矛盾のないように、相手に主張をぶつけていく。

相手とぶつかりあっても機能する

自分に不利な結論や相手に有利な結論を認めなければならない場面があるところが、多くの人が「フェアの思考」をなかなか発動できない最大の理由だ。

これまで論じてきた僕の思考を見てもらえれば分かると思う。

ロシアのウクライナへの侵攻を非難するのであれば、日本の真珠湾攻撃やアメリカのアフガニスタン戦争、イラク戦争の非を認める。ロシアがウクライナの東部地域の独立を承認したことを非難するのであれば、西側諸国がセルビアのコソボ独立を承認したことの非を認める。

ロシアのウクライナへの虐殺行為を非難するのであれば、日本の南京虐殺や、西側諸国のアフガニスタン戦争、イラク戦争での虐殺行為の非を認める。ロシアの国連での拒否権発動を非難するのであれば、アメリカの拒否権発動の非を同じく認める。

日本の三権分立に基づく司法権の独立を主張するなら、韓国の司法権の独立も認める。日本の最高裁の判決の論理を認めるなら、その論理を韓国にも認める。

中国の力による現状変更を批判するなら、日本はもちろんアメリカや西側諸国の力による現状変更も絶対に認めない。日本の主権（内政不干渉）を主張するなら、中国の香港への主権（内政不干渉）を認める。

「フェアの思考」を発動した上で、ロシアや韓国、中国を批判する主張を組み立てなければならないのだから難しい。しかし、このような「フェアの思考」を貫き通せば、双方の主張は激しくぶつかり合ったとしても、相手がこちらのフェアな態度を認めてくれるチャンスが生まれ、そこから相互の主張の折り合いに向けて、お互いに努力する機運が生まれてくる。

相手にアンフェアな態度を感じると、お互いに折り合っていこうという機運は生まれず、徹底的に批判することに終始し、最後は罵り合いになってしまう。

まとめると、自分と相手、両者の主張がガチンコでぶつかった場合に、どちらが絶対的な正解なのかを探ることが「フェアの思考」ではない。そのような思考は両者の外に、客観的に絶対的な正解が存在していることを前提としている。

そうではなく、各々がこれまで主張してきたことを基に、各々が自分の中で主張や論理が矛盾しないようにする。各自が、自分がこれまで主張してきたことやこれまでの態度を基に自分自身が矛盾した主張をしていないか、矛盾した態度をとっていないかを確認する作業が「フェアの思考」というものなのだ。

逆に相手を基準に考えれば、「あなたがこれまで言ってきたことからすれば、あなたの今回の主張はおかしいですよね？　あなた自身の基準からすると、私の言い分も認めなければならないですよね？」というように、全て「あなた自身の中」で完結するのが「フェアの思考」というものでもある。私やあなたの外にある絶対的な正解を求めるものではない。

たとえ相互にどんなに価値観や文化的背景が異なって主張がぶつかり合うような場合でも、「フェアの思考」は機能する。

絶対的な正解を見つけようとすると、立場の違い、価値観の違いによって、双方で正解は異なってくる。しかし「フェアの思考」は、各自の中に矛盾があるかどうかを問うもので、ゆえにお互いの立場の違いや価値観の違いは関係なく、相互に立場や価値観が異なることを前提に、それぞれの中に矛盾があるかどうかを確かめるものとして機能するのだ。

「フェアの思考」はあくまでも自分自身の中に、また相手自身の中に矛盾があるかどうかを確認するものであり、逆にアンフェアな思考とは、自分に有利な結論や相手に不利な結論を導くために、これまで主張してきたことやこれまでの態度振る舞いをコロコロ変えること、矛盾だらけの思考を言うのである。

住民投票・国民投票の実例から

知事・市長時代、原発の是非の住民投票を「やれ、やれ」とその運動をしている市民団体や特定のメディアに散々言われ、大阪都構想の是非の住民投票は「やめろ、やめろ」と散々言われた。これは「住民投票を重視するのか、しないのか」という肝心の「思考の軸」が自分の中に固まっていないアンフェアな思考の典型だ。

原発の是非の住民投票はやるべきで、大阪都構想の住民投票はやるべきでないという結論が先にある思考で、住民投票が地方政治において重要かどうかの思考が完全に抜けている。

原発の是非の住民投票は絶対に必要なのか、大阪都構想の是非の住民投票は絶対に必要なのかという議論、すなわち絶対的正解を求める議論をしてしまうと、賛成・反対派の間で全く折り合いがつかない。そうではなく、原発や大阪都構想を離れて、「住民投票というものが重要なのか否か」について主張を一貫させることが「フェアの思考」であり、そのことによって解決の糸口が見えてくる。

つまり原発の是非の住民投票が必要なら、大阪都構想の是非の住民投票も必要という主張にならなければならない。逆に大阪都構想の是非の住民投票が不要なら原発の是非の住民投票も不要という主張にするのが「フェアの思考」だ。

原発の是非の住民投票を必要としておいて、大阪都構想の是非の住民投票は不要という主張は典型的なアンフェアの思考だ。

この点、僕は大阪都構想の是非の住民投票が必要だと主張していたので、もちろん原発の是非の住民投票も必要派だ。

しかし原発の是非の住民投票について僕は大阪市長時代に反対した。それは住民投票の必要性を認めたものの、住民投票の条件が満たされていなかったからだ。

住民投票を行う場合には、必ず住民投票に付す具体的な計画案を確定してから住民投票を行うべきである。原発や大阪都構想について単なるＹＥＳ・ＮＯを問うだけでは、ＹＥＳとなった場合にそれをどのように実行するのか、ＮＯとなった場合にその後どのように対応するのか。それが全く分からず、結局住民投票の結果を実行できなくなる。

原発是非の住民投票の場合、原発ＹＥＳなら、現状の原発をそのまま動かしていけばいい。しかし原発ＮＯとなれば、では電気の供給はどうするのか？　ゆえにＮＯとなった場合にはどうするのかの具体的なプランが住民投票に付す案として必要なのである。

ところが大阪市長の僕に請求された、原発の是非を問う住民投票請求は、そのような具体的なプランがなかったので僕は反対の立場をとった。

他方、大阪都構想については、５年かけて具体的なプランを作成したので、大阪都構想がＹＥＳとなれば、そのプランに沿って実行できる。ＮＯとなれば、もちろん現状の大阪府と大阪市のままだ。

このように、僕は原発の是非についても、大阪都構想の是非についても、住民投票を重視しながらただ具体的なプランがあるかどうかで結論を変えた。

原発と大阪都構想で住民投票をやるかどうかは結論を異にしたが、僕のこうした考えには何ら矛盾はなく、「フェアの思考」に基づいていると自負している。

また原発の是非を問う住民投票は、電力政策に関するテーマであり、電力政策は日本全体のテーマでもある。少なくとも関西全体で判断するテーマである。ゆえに大阪市民だけで住民投票をすることは不当と考えた。他方、大阪都構想は大阪市役所がどうなるかの問題であり、大阪市民だけを対象にすればいい。

ここでも僕は住民投票を重視しながらも、投票権者の範囲について原発の是非を問う住民投票は不適切で、大阪都構想の是非を問う住民投票は適切だと判断した。ここにも矛盾はなく、これが「フェアの思考」というものである。

ちなみに、2019年に実施された在沖縄米軍普天間飛行場の辺野古移設の是非を問う沖縄県民投票についても「県民投票で辺野古移設がNOとなった場合、普天間飛行場はどうなるか、辺野古以外のどこに移設するのか、そのまま普天間にあり続けるのかの具体的プランがない」また「この問題は国家の安全保障の問題なので沖縄県民だけが決める話じゃない」ので県民投票は認められないというのが僕の思考だ。

僕は住民投票や国民投票を重視している。しかし投票のテーマについて具体的なプランがあるか、投票権者が自分たちで決めることのできるテーマかを吟味する思考を持っており、これはどの住民投票にも当てはめて考えている。「フェアの思考」に基づいて自分の思考に矛盾はないものと自負している。

辺野古の住民投票は○、憲法改正の国民投票は×という矛盾

どんなテーマについても賛成・反対があるのは当然だ。ただ、その結論のところについてどっちが絶対的に正しいかを議論していても、お互いに立場の違いや価値観の違いがあるからなかなか折り合いはつかない。

そこでまた「フェアの思考」というツールを使う。「フェアの思考」というのは自分の中で思考の軸を固めてから、どんな問題に関してもその軸を変えないように、矛盾しないように結論を導き出す思考の営みだ。

つまり、目の前の問題についての賛成・反対の結論ではなく、協議する当事者間において共有できる思考の軸を追求していく。「自分はこういう軸で考えている。あなたの思考の軸は何ですか」と、まずお互いの思考の軸を見える化する。そして、「その思考の軸から考えたらこういう主張や結論になるのでは?」「あなたの思考の軸から考えるとあなたの主張や結論は矛盾しますよね?」という形で議論を進めていくのである。

たとえば、普天間飛行場の辺野古移設に関して「県民投票をやれ!」と言っている人に

対しては、「住民投票を重視する思考の軸なのですね。であれば大阪都構想の是非を問う住民投票や憲法改正の是非を問う国民投票は賛成ですよね」と質す。

不思議なことに、辺野古移設に関しては「住民投票で決めろ！」と言っている人の多くが、大阪都構想の是非を問う住民投票や、憲法改正の是非を問う国民投票には反対している。

憲法改正の是非を問う国民投票に反対する人たちは「一時的な国民感情に流される国民投票は危険だ」と国民投票自体を否定する。そうであれば、辺野古移設に関する「住民投票も危険」となるはずなのに、こちらは賛成する。明らかな矛盾であり完全にアンフェアな思考だ。

賛成できない結果も潔く受け入れる

僕の思考の軸である「国民投票や住民投票を重視する」とは、どんな投票結果でも受け入れるというものだ。投票結果にこだわると、自分の意図しない結果になったときにそれを受け入れることができなくなる。これは自分の意図する結果が絶対的な正義であるという前提に立っていることにほかならない。そうではなく、適切なプロセスを踏んで出された結論は正解の可能性が高いと考えるという、プロセス重視の思考が「フェアの思考」だ。

たとえば、憲法改正の是非を問う国民投票に賛成なら、そのテーマが憲法9条であろうと、憲法94条の地方自治に関するものであろうと、国民投票には賛成するのが「フェアの思考」だ。ここで憲法9条の改正に反対だから、国民投票には反対。憲法94条の改正には賛成だから国民投票には賛成というのはダブルスタンダードで典型的なアンフェアの思考である。

そして国民投票を行った結果、自分の意図するのとは異なる結果になったとしてもそれを受け入れることも「フェアの思考」である。

自分がやられたら嫌なことは相手にやらない

これまで述べてきた思考の軸とは正義・正論や絶対的な正解というものではない。あくまでも自分の主張や態度を組み立てるときの自分自身の中にある基準だ。

自分の中にそのような思考の軸を定めたら、どんな問題についても、その軸によって矛盾のない主張や態度をとることが「フェアの思考」というものである。その主張や態度が絶対的に正しいかどうかは関係ない。自分の中で矛盾させないことが「フェアの思考」なのだ。

特にここで重要な思考の軸は、「自分がやることは他人にも認める」「自分がやられたら嫌なことは他人にしない」というものだ。

たとえば僕が「銃を持ちたい」と思ったとする。その自由が認められれば他者が銃を持つ自由も認められ、自分が銃撃されるリスクを自らかぶることになる。僕はそのリスクが嫌だ。だから結局自分は銃を持たず銃のない社会を求める。

自分がやりたいということを他者にも認めた場合に自分自身それを許すことができるかどうか。他者にやられて嫌なことは自分でもしない。銃を持つことが絶対的に正しいかどうかではなく、自分の中で矛盾のない主張と態度を貫くことが「フェアの思考」だ。

自分と相手の中にある「基準」を見える化する

繰り返しになるが、自分の外に客観的に存在する絶対的な正解を目指すのではなく、自分の中にある思考の軸・基準をまず見える化して、「それに照らし合わせるとどんな主張や態度になるんだ?」と議論を組み立てていく思考方法が「フェアの思考」である。

「あなたのこれまでの思考の基準によれば、こういう主張・態度・結論になりますよね？」と、お互いの思考の基準をどんどん見える化していけば、議論が少しでも前に進む可能性が高まる。

難しいと感じるかもしれないが、我が家では子どもらにこの「フェアの思考」の大切さを小さい頃からずっと教えてきた。何か主張してきたら「この前、こう言ってたんちゃうの？」と僕は必ず確認する。これは要するに、「ダブルスタンダードはダメだよ」「自分に跳ね返ってブーメランにならないように主張しようね」ということを教えているのだ。

僕はテレビなどで誰かと議論するときにも常にそこを意識している。あなたの結論は間違っているといくら言ってもそれを正しいと信じ切っている相手は聞いてくれない。だから過去の言動などを持ってきて「いや、だってあなたの思考の基準は○○なんじゃないですか。その基準に照らしたら○○となりますよね？」という「フェアの思考」で議論することを心がけている。

過去の主張を振り返って「矛盾なき一貫性」を目指す

では、「自分の中に思考の軸・基準を持つ」あるいは「自分や相手の中にある思考の軸・基準を見える化」するには、どうしたらいいのか。これは自分や相手のこれまでの主張や態度を振り返っていくと、何らかの軸・基準というものが見えてくるはずだ。

　これまでの自分の主張や態度を振り返ることは、ある意味厳しい作業かもしれない。「あのときはあんなふうに言ったけど、このときはこんなふうに言った」などと、自分で自分の思考の矛盾、ダブルスタンダードに気づき、愕然とすることもあるだろう。

　でも、何が正解なのか分からないこれからの時代を生き抜いていくためには、その作業を経て、自分の中にある軸・基準を見つけておかなければならない。過去、自分はどういうふうなスタンスでどういう主張をし、どのような態度をとっていたか。それを振り返りながら、読者のみなさんにはぜひ自分の中に思考の軸・基準を構築してもらいたい。

　ただ僕も100％完璧に自分の軸・基準と矛盾なく、いつもフェアな主張や態度をとれているかといったらそうではないと思う。ある主張を展開するに際して「これは今までの自分の軸・基準と違うな」と気づくこともある。

　ただし、テレビなどで公にコメントする際には、他の事例での主張や過去の態度を振り返りどういう軸・基準で主張していたのか、一応全部整理してダブルスタンダードにならないようにしているつもりだ。

　そのおかげで「橋下さん、あなたはあのときこういうふうに言っていたけど、その軸・

基準でいったら今回のあなたの主張は違うんじゃないの？」という批判は今のところほとんど言われたことはない。

もちろんネットの中で好き勝手に批判する者は多いが、面と向かって議論すれば、僕の軸・基準がぶれていないことは十分に説明できると自信を持っている。

結論自体が「おかしい」と言われることはあるし、「あなたの主張には賛成できない」と言われることはある。逆に相手の結論や主張にどうしても賛成できないこともある。ただしそれは、最後は価値観や立場、物事の見え方や持っている正義の違いなどに基づくことなので仕方のないことだ。

重要なのは、自分の中に見つけた思考の軸・基準をいつも貫いていることだ。ゆえに相手の中に見つけた思考の軸・基準が貫かれていたら、自分の結論とは異なっていたとしても相手の「フェアな思考」を評価するようにしている。

大事なことなので繰り返しておきたい。本書で伝えたいのは自分の主張についても他者の主張についても、絶えず「自分（相手）の軸・基準に照らし合わせて自分（相手）の主張や態度が一貫しているか」を確認することの重要性である。

僕は討論を含めて公に発言するときには思考の軸・基準を自分の中にしっかりと構築するように努めている。加えて相手の思考の軸・基準を見つけておくようにしている。問題ごとに思考の軸・基準がブレていたら説得力を失う。特に自分が有利になるように、相手が不利になるように、軸・基準をコロコロ変えていたら、相手からアンフェアだと思われ、議論は平行線のままだろう。

逆に、自分が不利になろうが、相手が有利になろうが、どんな問題についても常に自分の思考の軸・基準がブレないようにしておくと、主張や結論について相手と激しくぶつかり合ったとしても、相手からはフェアだと評価され、何らかの折り合いをつけるために解決の糸口を相互に必死に探るエネルギーが生まれると思う。

思考の軸・基準をどう整理するか

この自分の中に思考の軸・基準を作る作業は、学者のように細かな知識を膨大に頭に入れる作業とは全く異なる。

学者は「誰もが正解が分からない問題について、どの道を選んで行ったらいいのか」という思考が弱い。世に存在している知識を持ち出して語ることは得意だが、誰もが分からないような問題について自分の持論を展開することは苦手のようだ。

議論すると、「アメリカではこう」「第二次世界大戦前はこう」「歴史的にはこう」「〇〇という学会で著名な学者が〇〇と言っている」など、様々な知識を引っ張り出してくる。

しかし、ロシアによるウクライナ侵攻のように、決着のつけ方が分からない課題になると、「複雑な問題だ」「何が正解かは分からない」で終わってしまう。

ロシアの蛮行は許されない。ここでロシアに妥協してしまうと国際秩序に反することを許してしまうことになる。ロシアの核兵器の脅しに屈してしまうと、ロシア以外の国が核兵器の脅しを使うリスクを高めてしまう。だからといってアメリカ・NATOがロシアを武力で倒そうとすれば世界大戦にまで拡大する。今のまま戦闘がどこかで終わるまで待つしかない……。

だいたいこんな論理展開と結論になってしまう。

僕は自分の思考の軸・基準（先に述べた「戦争による犠牲をできる限り最小限にすることが政治の最大の役割」など）があるので、「今回はアメリカ・NATOがロシアと政治的に妥結すべきだ。ウクライナも一般市民を守る戦争指導をすべきだ」とこれまで言い続けてきた。

この結論自体には日本中から激しい批判が加えられているが、僕は何にも気にならない。むしろそれだけ批判が出るということは世間への問題提起になっていると自信を深めている。

誰もが正解が分からない問題について、分からないで終わりにするのではなく、自分なりの「解決への道」を打ち立てることができていると自負している。それは自分の思考の軸・基準を矛盾なく貫くからこそ可能となるのだ。

自分の中の思考の軸・基準を確立するためには、今まで歩んできた自分の人生を振り返り、自分の思考、発言、行動、そういうものを全部見つめ直しながら、自分の中の軸・基準を整理していく。

自分が何を重視し、どのような優先順を付ける思考をしているのか。結論が自分にとって有利になるか不利になるか、好きな相手か嫌いな相手か、そういうことは一切気にせず、自分の思考の軸・基準を確立していく作業。

これこそが、何が正解か分からないこれからの時代において、揺るぎない自信を持つための必要不可欠な作業だ。知識の量ではない。思考の軸・基準の確立だ。

そうすると、誰もが正解が分からず何も意見が出せないような課題についても、自分なりの一定の見解を出すことができる。その見解自体に賛否があっても、主張や態度の矛盾、アンフェアの指摘は受けなくなる。ゆえに自分の見解について、どれだけ批判を受けようが、どれだけ著名な権威が文句を言ってこようが、自分の思考の軸・基準を貫いているということで動じなくなる。

また自分に不利になったり、嫌いな相手にも有利になったりする結論を認めるので、相手や周囲からフェアだと思われ、たとえ見解が激しく異なったとしても、何らかの折り合いを付けようと努力する雰囲気が醸成される。

これが「フェアの思考」の効果だ。

当初考えていた持論・結論について、自分の思考の軸・基準からすると矛盾するな、一貫性がないな、となれば、すぐに持論や結論を正すことができるようになる、という効果もある。

それは、自分の見解の否定だ。しかしそれはあくまでも見解を修正しただけで、自分の思考の軸・基準を貫いたのだから自己否定ではない。自己を貫くからこそ、見解を修正するのである。

このやり方は自分の見解を修正する場合に限らず、相手の見解を修正させることにも活用できる。

「あなたの見解は絶対に間違っている！　不正義だ！」と言っても、相手がそれを正義だと信じ切っていれば、相手は見解を変えることはないだろう。

しかし、「あなたのこれまでの思考の軸・基準に照らし合わせると、今の主張や態度は矛盾している。ダブルスタンダードだ、アンフェアだ。あなたの思考の軸・基準からすれば○○となるはずだ」と指摘すれば、相手も容易には反論できなくなるだろう。

自分自身に不利であってもフェアの態度を貫く

フェアを貫くのに一番しんどいのは、自分にとって不利な結論・状況もフェアのためには受け入れなければならないということだ。ここを乗り越えることが「フェアの思考」を形作る際の重要なポイントとなる。

人は、自分の不利な結論や状況を受け入れられないし、回避したがる。しかし、ここを突破することができるかどうかが勝負どころだ。

僕がぶち当たった壁と、それを乗り越えてなんとかフェアを貫いた事例をこれから紹介する。ここの壁を突破したことを、今人生を振り返って本当に良かったと思っている。もしあそこで自分を有利にするためにアンフェアになっていたら今の自分はないだろう。

２００８年に大阪府知事に就任した僕は、ＷＴＣビルの買収に執念を燃やしていた。ＷＴＣビルとは大阪市の第三セクターが建設した超高層ビルで、バブル時代の都市政策として、大阪湾岸部の埋め立て地に貿易拠点を設けようと建設費に約１３００億円を投じたものだ。

ＷＴＣビル事業は建設後、あっという間に経営破綻。大阪市はその処理に困っていた。当時の大阪湾岸部は、大阪市が埋め立て地を造成するも、ことごとく都市戦略が失敗。日本第二の都市大阪の湾岸部であるにもかかわらず、夢も希望もない不良資産の集積地となっていた。

僕はこの大阪湾岸部を、大阪の一大拠点にする構想を描いた。大阪市が失敗したのは、大阪市単独で都市戦略を実行しようとしたこと。僕は大阪府と大阪市が一体となって、大阪全体の都市戦略として大阪湾岸部を活性化させようと考えた。

府も関与することで、関西国際空港を含めての大阪全体、関西全体からの湾岸部へのアクセスを改善し、大阪府の産業政策、インフラ政策、都市魅力戦略の一環として大阪湾岸部を位置付けようという構想。これは大阪市の殻を破るという戦略でもある。

その端緒に、大阪市が経営に失敗した超高層ビルを大阪府が買い取る。前代未聞のことだった。大阪府はその頃、庁舎建て替え問題を抱えていた。大阪府庁舎は大阪城の真横に存在する大正時代の建物で、完全にガタが来ている。

バブル時代から豪華な庁舎に建て替える計画があったが、大阪府の財政が火の車だったことから、計画は先延ばしとなっていた。

職員や府議会議員は内心は、早く建て替えたかったのだろうが、府民の反応を恐れてずるずると計画は引き延ばされていた。

僕は、このWTCビルを大阪市から買い取り、大阪府庁舎をそこに移転させ、そして大阪湾岸部の活性化の拠点にしようと考えた。

府議会では反対の声が強かった。それでもWTCビルの買い取り、府庁舎移転計画を進め、2年越しで約90億円での買い取り契約を成立させ、議会の承認を得た。

ところがWTCビルの買収について、住民訴訟が提起された。その請求額約100億円！　敗訴すれば、場合によっては僕個人が支払わなければならない。100億円を、である。

ここで大阪府の幹部と連日協議したところ、当時、僕が結成した大阪維新の会は府議会において過半数議席を有しており、そうであれば議会の過半数議決によって、知事個人の責任を免除する決議ができるという話が浮上した。

議会の議決によって知事、市長などの首長の責任を免責にする事例は、当時、いくつか存在した。幹部たちは僕にそれを勧めてきた。

100億円のリスクと引き換えに得た、最高に価値あるもの

しかし僕は自分に有利な議会に頼らず、裁判で決着する道を選んだ。

僕のWTC買収の判断が違法かどうかを裁判で判定してもらわなければフェアではない。府民に責任を果たしたことにならない。何と言っても、その後の人生をアンフェアという負い目を抱えたまま歩むことになる。

そこから裁判が始まる。僕個人の弁護は、大阪府の顧問弁護士はやってくれない。これは自分でやるか、自分で弁護士を雇わなければならない。

このときほど、自分が弁護士で良かったとつくづく感じたことはない。もし弁護士を雇っていれば、どれだけの弁護士費用を払わなければならなかったことか。

僕は、自分の法律事務所所属の弁護士の協力も得ながら、自分でこの裁判をやることにした。裁判は長期化し、最終的に6年半費やし、勝訴した。

長かったが、とにかくホッとした。

大阪維新の会の数の力を利用して、僕の責任を免除することも可能だったし、そのほうが楽だった。

しかし、恰好つけてやせ我慢しながらも、裁判で決着したことが、今になって本当に良かったと思う。府民に対しても堂々と自分の判断は違法ではなかったと言えるし、多くの府民も納得してくれると思う。

自分に有利なアンフェアを抱えたままモヤモヤした状態で人生を送ることがいかにマイナスか。

大阪維新の会の数の力を使って自分の責任を回避したなら、僕は今のように世間に偉そうに発言する活動はできていなかったと思う。

何か世間に対して言うたびに、「お前が言うな！」「お前は責任を有耶無耶にしただろ！」と言われていただろう。そしていつの間にか僕の発言の機会がなくなっていただろう。

自分が偉そうに言うなら、自分の襟を正す。ほんと、フェアの態度が大切だ。

大阪市職員労働組合との裁判

僕は市長時代、大阪市職員労働組合と激しく対立した。大阪市職員の多くが歴代の大阪市長選挙に積極的に関与し、自分たちの処遇・待遇を良くしてくれる、その他、市役所として様々な便益を提供してくれる市長候補を当選させてきたと言われていたのだ。

当時、大阪市職員の処遇・待遇があまりにも良すぎることが問題視されていた。勤務条件、給与、ボーナス、その他の福利厚生、天下り……。

大阪市職員の組合は、公務員の労働組合である自治労の中でも最強の組合組織とも言われていた。組織率は高く、市長選挙になるとフル回転。歴代の市長候補は組合に頭を下げて応援してもらう。そして当選後、市長最初のセレモニーは、大阪市役所地下にある組合事務所への当選御礼のあいさつだ。この時点で、市長と組合の上下関係が決まってしまう。

職員組合の職員だけが動くのではない。職員ＯＢ、大阪市の関連団体、そして補助金や許認可権で大阪市と付き合いのある無数の自治会や業界団体とその加入事業者。さらにあらゆる業種の民間企業に職員がきっちりと天下りもしているので、それらの民間企業。これら全てを総動員させ、それだけで30万票は集まると言われていた。

この大阪市役所職員を中心とする集団は、政治評論の世界では、中之島（大阪市役所の所在地）一家と呼ばれていた。

ゆえに市長候補は、職員組合を無視できない。そうして歴代の市長は、職員が反対する大阪市政改革に大ナタを振るうことができないと言われていた。

僕は２０１１年、大阪市政改革の断行を公約に掲げ市長選挙を戦った。大阪市政改革の究極が大阪市役所を一から作り直す大阪都構想。ゆえに市長選挙では、職員組合に頭を下げるどころか、真正面からの激しい対決モードに入った。

僕には自分で作った大阪維新の会しか援軍はいない。それも約1年前に結成した、できたてホヤホヤの政治グループだ。自民党から共産党までの既存の政党の全部と、職員組合をはじめとする中之島一家全てを敵に回し、組織力も金もない大阪維新の会で戦った。

激しい選挙戦だった。投票率は過去のものと比べて跳ね上がり、最終的には中之島一家の票数が相手候補に全て回っても、僕の得票数は十分それを上回るものとなった。市民に感謝である。

僕が市長に就任した当時、大阪市職員の不祥事案件も後を絶たなかった。規律保持のマネジメントも必要だった。

だから僕は、大阪市職員組合に関する改革も絶対に必要だと思い、組合に対して厳しい姿勢をとったのである。それが市民からの負託だと強い信念を持った。

大阪市役所は、大阪経済の中心・淀屋橋の一等地にそびえ立っている。その地下の広大なフロアが職員組合の事務所となっていたが、賃料については市役所から便宜がはかられていた。大阪市職員が刺青をいれていて、市民を脅したというニュースもあった。

大阪市の大改革をやるためにも、まずは組合事務所から。

僕は幹部会において、大阪市役所庁舎は市役所業務のために使うもので、フロアが足りていない現状からすると、組合は市役所の外に事務所を構えるべきだと主張した。市職員の規律保持をはかるためにも、刺青は禁止すべきだとも主張した。

その他、次から次へと大阪市政改革、公務員改革を断行したが、そのたびに職員側から訴訟を提起された。

自分のメールが証拠に使われても上等だ

僕は連日の膨大な市長業務を処理するために、電子メールをフル活用していた。僕の前任までの市長や知事は、幹部職員と協議するときには、すべて直接の面談方式だったらしい。これではスケジュール調整も大変だし、一つ一つの協議に時間をとられる。

メールを使うと、スケジュール調整は不要だし、関係する多くの職員に一斉メールを送信することで情報の共有も円滑である。巨大な組織になると、情報を握っている一部の者が不当な政治力を持ってしまうので、メールによる情報共有のフラット化は、不合理な組織内政治を予防できる。

しかし、市役所幹部からはメールの利用はできる限り止めたほうがいいと助言を受けた。メールは「裁判の証拠に使われてしまいます」「メディアに報じられてしまいます」と。

僕は、先ほどのＷＴＣビル買収住民訴訟事案を基に、「裁判になったら、僕のメールが証拠に扱われるほうがフェアだ。僕のメール内容や指示の出し方が違法かどうかを裁判所にきっちりと判断してもらうほうが、市民のためになる。メディアに報じられることも市民のためになる。市長とはそういう立場だ」とかなり恰好つけてしまった。

ゆえに、職員から提起された裁判においては、僕のメールが証拠に使われた。メディアも橋下市政の報道に、僕のメールをフル活用した。メールをきっかけに色々と深掘り取材をして僕を厳しく批判した。

そして職員側から提起された裁判の多くは僕側の勝訴だったが、いくつかは敗訴した。僕のメールが証拠となって僕は敗訴したのだ。

でも、それがフェアだと思う。自分が不利になっても、思考の軸・基準を貫いた。僕は政治行政の情報公開は特に重要だと考えており、これは政治家になる前から、テレビのコメンテーターとして主張していた。

それが、自分が政治家になった途端、情報公開に後ろ向きになったら、完全にダブルスタンダードのアンフェアだ。

僕は政治家を辞めてから、再びコメンテーターとして政治行政に対して厳しい意見を主張している。もし、政治家時代にメールを意識的に隠したり、不都合な事実を隠すような態度をとっていれば、「お前が言うな!」と批判されて、今の仕事は成立していないかもしれない。

僕が敗訴した裁判は、敗訴してしかるべきものなので敗訴しただけだ。

もしメールなどをごまかして、勝訴していたら、それは職員側、ひいては市民が不当な不利益を受けたことになる。

純粋な民間人であれば、証拠を残さないということも一つのやり方なのかもしれないが、市長や知事という役職はまったく別だ。特にフェアが求められる立場だと思う。

そしてそのフェアを貫くことで、有権者の利益だけでなく、最後は僕自身の人生においてもプラスになっていると自負している。

フェアの思考は自分の考えを柔軟にする

自分の考えというものは、結論を先に決めてしまうと以後なかなか変えることができなくなってしまう。

正解だと信じ切っている結論に合わせて都合の良い論理や論拠だけを持ってくるから、自分の結論に合わない論理や論拠、考え方は全否定してしまう。自分の結論に合わないニュースは見ないようにし、自分の結論に合うネット情報だけをかき集めてしまう。さらに冷静な議論や折り合いをつけることを試みることなく、最後は相手と罵倒のしあいにまでなってしまう。

先にも述べたが、結論を先に決めてしまう思考を禁じる「フェアの思考」は、自分の考えを柔軟にさせる一つの方法でもある。その意味で自分の中に作る思考の軸・基準は矛盾なく芯が通っていることはもちろんだが、加えてしなやかなほうがいい。鋼鉄の棒ではなく柳とか竹のイメージだ。

思考の軸・基準を作る際には目の前の直面している問題だけではなく、同じような問題に過去、自分はどう主張していたか、どういう態度をとっていたかということを振り返る。たとえば今、原発の是非を問う住民投票の問題に出くわしたなら、在沖縄普天間飛行場の辺野古移設に関する沖縄県民投票や、憲法改正の是非を問う国民投票、大阪都構想の是非を問う住民投票について、さらに「街角の声」や「デモ」という住民の声について、自分は今までどういう主張をしていたのかと振り返りながら、自分の中に住民投票に関する思考の軸・基準を作っていくのだ。

僕の場合は、先に述べたように「住民の声を重視する。しかしどの住民の範囲で決めるのかという投票権者の範囲の検討と、単純なYES・NOではなく住民投票に付すための具体的なプランが必要」という思考の軸・基準がある。

これに従えば、原発の住民投票、沖縄県民投票は単なるYES・NOを問うだけで具体的なプランが存在しないし、原発や米軍基地の問題は国民全体で判断するもので、一地域の住民が判断するものではないので否定となるが、憲法改正国民投票は具体的なプランができあがれば国民投票をすべきことになる。具体的なプランが完成した上での大阪都構想の是非を問う住民投票も肯定だ。

これがしなやかな軸・基準のイメージだ。

自分（相手）の考えや結論が絶対的に正しいか間違っているかという話は脇に置いておいて、まず自分（相手）の中の思考の軸・基準を見出す。それに照らし合わせて結論を導いていく。相手に突っ込まれて、あるいは自発的に、自らの中に思考の軸・基準に矛盾があることを見つければ、ただちに修正して考え方や結論を変えていく。

自分がそういう柔軟な「フェアの思考」ができるのであれば、自信を持って相手にも柔軟性を求めることができると思う。

攻撃ラインと防御ライン

自分の考えが絶対的に正しいと信じ切ってしまうと、自分を完全に正当化してしまう。それは非常に危うい。というのは人間に100％完璧な正当性が備わることは極稀なことだからだ。

ゆえに、人間には必ず非があるものという前提で、自分の主張を展開するほうが良い。自分には必ずどこかに非があるものという前提を置くのも「フェアの思考」である。

僕は、相手の矛盾を指摘していくことを「議論の攻撃ライン」と呼び、自分の非を認めて相手の主張を認めることを「議論の防御ライン」と呼んでいる。

普通の議論は攻撃ラインのみを設定して、自分の非を認めず相手の非を攻めまくる。そして相手から反撃を食らって窮地に追い込まれるというパターンが多い。

そこを、はじめから自分を完全正当化せずに、柔軟に防御ラインを設定し、そこまでは相手の主張を認める。他方、相手の非・矛盾は徹底的に指摘していく。これが「フェアの思考」に基づく、窮地に追い込まれない議論のやり方だ。

攻撃ラインと防御ラインの設定の仕方を理解するには、森友学園問題をめぐる安倍元首相の発言が最も分かりやすいだろう。

2017年、森友学園が国有地を破格の安値で購入したことがメディアで報じられた。そこに当時の安倍晋三首相の奥さんである安倍昭恵さんが森友学園理事長と懇意にしている事実が発覚し、安倍首相・財務省が便宜をはかったと国会でも追及された。

同年2月に、安倍首相は国会において「私も妻も一切関与していない。もし何らかの関与があれば総理大臣も国会議員も辞める」と言い切った。その後、安倍政権や財務省は問題となるような不正な取引、行為は一切ないと言い張った。完全正当化したのだ。

しかし、国会では財務省官僚による国会での虚偽答弁、公文書の改ざんや廃棄など行政組織としては絶対にあってはならないことが次々と発覚した。加えて残念なことに、公文書の改ざんに携わったとされる財務省の職員が自死した。ご遺族が公表した手記には「私は政治家などの影響を受けて仕事をしたことは一切ない」旨の言葉があった。

野党や一部メディアは安倍首相などに学園へ便宜をはかる不正があったと言わんばかりの追及を繰り返したが、今に至るまで、そのような不正行為は明らかになっていない。刑事事件もいったん終了となった。

他方、昭恵さんと森友学園理事長の懇意な交際は事実であり、この件をめぐって昭恵さんが財務省などに直接連絡していたことも事実であった。

野党や一部メディアはこの点をとらえて、「安倍首相側が森友学園との関与があったのは事実だ。国会答弁どおり責任をとれ!」と追及した。

森友学園は、昭恵さん、ひいては現職の首相と近しい関係にあるということで一定の信用を築くことができたのは事実だ。安倍首相らに不正があったかどうかはともかく、昭恵さんにはいわゆる広告塔としての責任はある。

その後、森友学園には様々な問題が噴出し、学園は閉鎖。理事長は補助金をだまし取ったとして刑事責任を問われることになった。

このような事情を考慮すれば、安倍首相は、首相という大変影響力のある立場にある中で森友学園に一定の信用力を与えてしまったことに責任を感じるべきであった。安倍首相はそのことを感じたのか国会で大騒ぎされている中、森友学園理事長との付き合いについて軽率であったことを認め謝罪した。

そうであれば、はじめからこの点を防御ラインとして設定しておけばよかったのである。「森友学園と一切の関係はない」と完全正当化するのではなく、「妻と森友学園理事長との関係性や妻の態度振る舞いには、広告塔としての道義的責任があるのでこの点は大変申し訳ない」と、防御ラインをきっちりと引いて最初から徹底して謝罪しておけば良かったのである。

その上で、不正な便宜供与は一切ないということを攻撃ラインにして、その点を徹底主張すれば良かった。

ところが安倍首相は当初防御ラインを「広告塔の責任まで否定する完全正当化」に置いてしまったので、その後1年以上にもわたり連日メディアから徹底追及を受けることになってしまった。そのことで、日本国中に安倍首相はなんとなく怪しいという雰囲気を醸成してしまい、なによりも国会が不毛な議論に終始し、肝心なことが議論されず国益を著しく害してしまったと思う。

そしてこの誤った防御ラインを守るために財務省が動き、虚偽答弁や公文書を改ざんするというあるまじき行為が発生したのは周知のとおりだ。

「フェアの思考」に基づく防御ラインの設定と攻撃ラインの設定が必要な所以である。

第5章　正解より「プロセス・優位」で考える

「よりマシな選択」を見極める

「何が絶対的な正解なのか、正論なのか」は誰にも分からない。それが「フェアの思考」の出発点だと繰り返し述べてきた。では、どうやって「これだ」という一つの道を選択していくのか。結論から言う。それは「絶対的な正解をいきなり見つけにいくのではなく、正解に辿り着こうとするプロセスを踏む」ことである。適切なプロセスを経て「最後はよりマシなほう、優位なほうを選ぶ」という思考である。

何事につけ「正解は誰にも分からない」のだから、僕は政治をめぐる議論の大前提にも「100%完璧に正しい政治なんて存在しない」という「思考の軸」を置いている。副作用の全くない薬がないように、マイナス面のない政策も存在しない。それを理解したうえで、よりマシな選択はどちらかを探るのが政治だ。

いや、政治だけではないだろう。

世の中には、問題集の解答編のような「正解」は転がっていない。ゆえに本当のところは分からない中で、政治にしろビジネスにしろ、適切なプロセスを踏んで、責任ある者がよりマシな決定をし、責任を負う。

このことによって本当のところは分からないけど「その選択は正しいと見なして前に進んでいく」しかないと思う。

しかし人間はともすると完璧なものを求め過ぎて、ちょっとした問題点や瑕疵を見つけて、「これはもうダメだ」と全部を否定してしまう。完璧な答えを求めるあまり、様々な選択の可能性を全て潰してしまって、結局は何の解決策も取れず現状維持になり、衰退を招いてしまう。そうならないように、「よりマシな選択」を見極める方法が必要かつ重要なのだ。「絶対的な正解よりも優位で考える」とは、まさにそうした思考のプロセスだ。

真実は分からないと肝に銘じる

個別の課題について解決策を考えるときには、その前提や論拠となる「事実」や「情報」が重要である。持論に用いている事実や情報が間違っていたら、当然ながら説得力を欠く。ただ今日、SNSを含むネットメディアが普及して巷には事実や情報が洪水のごとくあふれ、どれが正しいものなのか分からない。

「フェイクニュースに踊らされないように、情報リテラシーを養い真実を見抜こう」などとよく言われるが、この情報氾濫社会において完璧な真実を見抜くことは無理だ。みんなが多かれ少なかれ、ある種の虚偽に惑わされている。

このような情報氾濫時代をどのように生き抜けばいいか。

人は皆、自分の知識が増えてきたり、社会的ポジションが上がってきたりすると、ついつい自分には情報リテラシーがあると過信してしまい、自分の見解が絶対的に正しい真実だと思い込んでしまう。自分の心の内に留めておく分にはそれでもいいが、公に表現する場合にはそれはまずい。そこにフェイクが潜んでいる可能性がある以上、「絶対的に正しい真実」であるはずがない。

特に専門家の見解を聞くとき、その者の専門領域でないことに言及している場合には要注意だ。ある専門領域でそれなりの権威となっている人に対しては、ついついその人が言っていることを全面的に信用してしまうものだが、たとえ権威のある人でも専門領域外のことは素人だという前提で、その見解を聞かなければならない。

まとめると、常に真実は分からないという前提で自分の主張を構築する。その際、明確に前提にできることは公知の事実のみ。公知の事実とは、ある意味万人が認めている事実や、ある専門領域の専門家の間でほぼ統一見解としてまとまっている事実のことをいう。

それ以外の事実や情報を使う場合には、常に虚偽のものが含まれているということを肝に銘じて、自分の見解が絶対的に正しいという思い込みを捨てることだ。その代わり、自分の主張に、過去の言動等からの矛盾がないことや適切なプロセスを踏んでいることを重視する。これが「フェアの思考」だ。

コロナ禍と「公知の事実」による判断

もちろん、公知の事実が確定していないケースは少なくない。たとえば、今回の新型コロナ禍では感染発生開始の2020年当初、小・中・高等学校の一斉休校の是非が盛んに論じられた。一斉休校になれば小学校低学年のお子さんを持つ親御さんは大変なご苦労をする。そんな背景もあって一斉休校反対論が強く叫ばれた。

子どもたちの間で感染のリスクが高いか低いか、まだ感染症の専門家の間でも意見が分かれていた中での議論である。ゆえに子どもたちの間での感染リスクが高いのか低いのかどちらかを公知の事実とするわけにはいかない。これは子どもたちの感染リスクの高低をどれだけ論じ合っても意味がないということだ。こういう専門家がこう言っている、このような専門家団体がこのように言っているという根拠をいくら示しても、「いや、まだ確定していないでしょ?」と反論されたら終わりの状況である。

このようなまだ実態がよく分からない、公知の事実として確定していない場合にどう判断したらよいのか。僕は「リスクがある程度分かるまではとりあえず、リスクを回避しよう」という思考の軸・基準をもって、一斉休校賛成論を当時メディアで展開した。ウイルスの実態について明らかになってくるまでは、とりあえずリスクを回避するために一斉休校。ウイルスの実態が分かるにつれて、それに合わせて休校措置を解除するというロジックだった。

このロジックには、新型コロナウイルスが子どもたちの間で感染するリスクが高いか低いかという前提事実・情報は必要ない。かつ「リスクを避ける」「休校にする」というほうが「よりマシだ」「優位である」と考えたのだ。

程なくして「子どもたちの間での感染リスクは非常に低い」というWHO（世界保健機関）の報告書が出ると、一斉休校反対派は、この証拠をもって「ほら、子どもたちの間では感染のリスクが低いんだから一斉休校にする必要はなかった」と主張した。しかし、すぐさま米中の共同研究チームが子どもたちの間での感染リスクを認めるような報告を行った。この段階でもやはり真実は分からないことを前提に、とりあえず一斉休校を行ってウイルスの実態の様子を見ることのほうがよりマシで優位だと思う。

やがて、一斉休校している間にウイルスの実態の様子を見ていた日本政府の専門家会議が「学校空間が感染を爆発的に広げるドライビングフォースにはならない」という見解を出した。僕はここまでくればこの見解を一つの公知の事実として扱ってもいいんじゃないかと判断し、以降は「学校空間では感染が広がるリスクは低い」ことを前提事実として、これからは一斉休校にする必要がないとコメントするようにした。

要するに、公知の事実となるまでは真実は分からないということを前提に主張を展開し、事実が分かってきたらそれに合わせて当初の主張を修正するというのが情報氾濫時代において生き抜いていく極意というわけだ。

ただし、決められた期限の中で実態がよく分からないまま、すなわち公知の事実が存在しないままどうしても決定しなければならないケースもある。そのときには、決め打ちして判断するしかなく、ある種の「勘」に頼らざるをえない。

では、どうやってそういう「勘」を鍛えるのか。それは、ここまで説明してきた「相手の立場に立って考える」こと、「ルール」を重視すること、「自分の思考の軸・基準」を見える化すること、そして本章で説明する「よりマシな優位で考える」という「フェアの思考」の実践を繰り返すことだ。つまり好き嫌いの「感情」や「イデオロギー」に依らないフェアに考える営みの中で「勘」は鍛えられていくものだと思う。

ケーキを二人で平等に分けるには

「絶対的な正解は誰にも分からない」というのが「フェアの思考」の大前提だ。では、そんな中で複数の者の間でどうやって「よりマシな道」を進んでいくのか。

まず適正な手続き・プロセスを踏んでいけば正解に近づいていくという当事者間での共通認識が必要である。つまり、本当に正解かどうか分からないけれども、適切なプロセスを踏み、正解に近づいているのだろうと皆で信じて、最後にたどり着いたところを「正解とみなす」という共通認識だ。

たとえば一つのケーキを二人で分ける際にケーキをナノ単位で完全に二等分に切ることはできない。そんなことをやろうとすれば、莫大な費用をかけたカッター装置が必要になる。そこで二人のうち一人がケーキを切り、もう一人が分割されたケーキのどちらかを先に選ぶというプロセスにする。

そういうプロセス・ルールにすればケーキを切る者は、自分が後から選ぶケーキが小さくならないように、二等分に切ろうと限界まで努力するし、ケーキを切らない者が先に選ぶことで、二人はこのケーキの分け方に納得する。これが適正な手続き・プロセスを踏むことによって正解に近づいていくという考え方だ。

ミクロやナノの単位で狂いなく二等分に切るというのがいわば絶対的な正解・正義を求める思考。一方、完全な二等分になっていなくても、お互い納得できるからそれを二等分とみなすというのがプロセスを重視する「フェアの思考」だ。

もちろん、その手続き・プロセス・ルール自体が絶対的な正解かどうか分からない。けれども、その手続き・ルール・プロセスを作るプロセス自体が「フェアの思考」で行われているのであれば、それらも正解とみなしていいというのが僕の基本的な考え方だ。

先に述べた大阪の私立学校に対する補助金の支給要件ルールについても、それが絶対的に正しいかどうか分からない。だから僕は、異なる意見を持つ専門家などと議論を重ね、約1年かけて支給要件ルールを作っていった。そのことでそのルールはおおよそ正解に近いものだと、多くの関係者が納得したものとなった。

この点、「結局、そのルールは、橋下が自分の意図する結論を導くために恣意的に作っているんじゃないか」という批判がある。つまり朝鮮学校への支給だけを取りやめるための狙い撃ちのルールにしているのではないか、と。

そのような批判を受けることのないように、フェアにこだわった。当時まず僕が考えたのは、これまで交付されてきた学校運営の補助金を知事の判断一つで打ち切るのは、権力の行使として適切とは言えないので、ルールに基づいた権力行使にしなければならないということ。そして朝鮮高校という学校を狙い撃ちするのではなく、政治色を帯びた学校はすべて補助金支給を止めるという、一般的なルールにしなければならないということの二つ。

これは法律家的に言うと「法の一般性」という考え方だ。法律の禁止の対象には固有名詞を入れてはならず、一般的でなくてはならない。誰もが対象になるルールでなければならず、特定の者を狙い撃ちにしたものであってはならない。司法試験の勉強でそう学んだこともあって、僕の思考の中ではそもそも特定の者だけを狙い撃ちしたルールはあり得ない。

結果的に補助金支給要件のルールの適用によって補助金を打ち切ったのは朝鮮学校だけになったが、それはあの時点でルールに照らし合わせると政治色を帯びていると判断された学校が朝鮮学校だけだったからだ。

だから「政治色を帯びた学校を補助金対象から排除すること自体けしからん」という批

判ならまだ分かる。しかし、「朝鮮学校だけを排除する橋下のやり方はけしからん」という批判は成り立たない。僕はフェアに徹底してこだわったので、この補助金支給ルールに限らず、僕が政治家時代に決定した様々なルールについても同様に、特定の者を狙い撃ちしたという批判、恣意的だという批判は成り立たないと自負している。

制度の細かな不都合性よりも全体としての優位性

専門家と議論すると制度の細かな問題点をあげつらって、結局解決策が見つからないということがよくある。世の中に１００％完璧な制度など存在しない。何かしらの問題があるものである。

しかし、そもそもその制度を導入するのはなぜなのか、という「そもそも論」に立ち返って、その制度を導入した場合と、導入しなかった場合のどちらがよりマシなのか、優位性を考える思考、「フェアの思考」が重要だ。

導入することに優位性があるなら、あとは最善の制度設計を行うべきで、その際に出てくる細かな不都合性には目をつむるという判断をしなくてはならない。制度を導入するときの小さな不都合性に振り回されて、制度を導入しない場合の大きな不都合性を放置するというのが最悪の判断だ。

たとえば、ある専門家と格差是正について議論をしたときのこと。僕は資産課税の導入を主張した。資産課税についてはいろいろな考え方があるし、問題点もある。

けれども僕は、「格差是正のためには資産の再分配が必要だ。今は労働による所得よりも資産による所得のほうが増えてきている。だからフローにあたる年間収入（所得）課税による分配だけでなく、ストックである資産への課税も必要なんじゃないか。その大きな方向性の中で、官僚や専門家が最善の制度を作ればいい。１００％完璧な制度はあり得ないので細かな不都合性もあるだろうが、問題は資産課税をやるかどうかで、やるとなればできる範囲で最初の第一歩を踏み出すべきだ」と主張した。

しかし、その専門家は資産課税制度の様々な不都合性を持ち出して「こういう不都合がある。こういうデメリットがある」と問題点を指摘し続けるだけだった。

目標実現のための黄金則「そぎ落とし」

想定できる不都合性を全てあげて、結局解決策を何も実行しないのが最悪の事態だ。

政治にしろビジネスにしろ、あれもこれも実現したいということでは、結局何も実現しない。何かを実現しようと思えば、それ以外はそぎ落とす＝やらないというシビアな優先順位付けが必要であり、そぎ落とすものが大きければ大きいほど、自分が実現したいものを実現できる。

特に政治家の場合、この優先順位付けができるかどうかが最も重要な能力である。格好つけのパフォーマンス政治家にはそれができない。彼ら彼女らは、何かをそぎ落とす＝やらないことによる批判を恐れる。

しかし、真の政治家は、猛批判を覚悟の上で、実現すべき目標を一点に絞り切り、その他をそぎ落とす。

分かりやすい事例は、1997年に実現した、香港返還のために中国最高指導部が行った強烈な「優先順位付け」だろう。

当時の中国最高指導部の政治判断は、1842年の南京条約によって完全に奪われた香港の主権回復を絶対一位の目標に掲げ、そのためには返還から50年間は自らの主権に制限を加えられてもいいという判断を行ったのだ。いきなりの完全な主権回復という目標はそぎ落とし、まずは香港への主権が全くない現状よりも、一国二制度であったとしても香港への主権行使を一歩進めるという政治判断を行ったのだ。

そしてその後中国は、自分たちが十分に力を付けて西側諸国に対峙できる自信を持った上で、一国二制度を変容させ香港を中国の政治体制に完全に組み込んでしまった。完全なる主権の回復である。

中国は、一度奪われた領土について武力行使なく主権を完全に回復した。悔しいが見事な政治である。

僕は2012年、日本維新の会を立ち上げるにあたって同じような判断をしたことがある。国会議員や有識者たちと議論した際に、参加者の田原総一朗さんから「竹島についてどう主権を回復するのか?」との質問があった。

政治家としての模範解答は「竹島は日本の固有の領土です。韓国に返還を強く訴えます」というものだろう。今の国会議員の多くもそこまでしか言わない。

じゃあ、それで竹島は返ってくるのか。そんなわけがない。

だから僕は「まずは竹島の共同管理から進めるべきだ」と回答した。もちろんここは竹島周辺の「資源」も含めた共同管理からのスタートになるが、それでも維新の国会議員メンバーからも、多くの国民からも「橋下は弱腰だ!」「竹島は日本の固有の領土なのに共同管理とはけしからん！」「売国奴！」という批判が殺到した。

そこで「あー、これでは竹島は永遠に返ってこないな」と確信した。国会議員の戦略のなさと、実行プロセスを考えない国民が多くいる民主国家では、一度奪われた領土を武力行使なく取り戻すのはまず無理だろう。

いきなり100％完全なる目標を達成することなどまず無理だ。それが対立している相手との話ならなおさらだ。ここで最初は50％の達成でもいいから前に進めるという判断ができるか。つまり50％をそぎ落とす判断ができるかが、将来の100％達成につながる勝負の判断だが、50％をそぎ落とすことへの批判を恐れてそのような優先順位付けの判断ができる者は少ない。

北方領土についても、「四島返還！」を叫ぶことしか日本の政治はやらない。ただし安倍元首相は、北方領土返還の第一歩として北方領土における日ロの共同経済活動というものを提唱した。僕は評価に値すると考えていたが、国民、そして識者からは批判の声が多かった。

今はロシアがウクライナに蛮行を働いたので、日本は四島返還論に戻り、北方領土交渉が止まることもやむを得ないが、四島返還の主張は、ロシアが崩壊しない限り実現は不可能だろう。威勢よく四島返還を主張すれば、日本国内では批判は起きない。しかし実現は永遠に不可能になる。それとも実現を優先して、譲歩しながらも最初の第一歩を踏み出すか。僕は後者の思考だ。

また2020年6月5日、北朝鮮による拉致被害者である横田めぐみさんのお父さん、横田滋さんが亡くなられた。無念だったと思う。

「拉致問題を解決する！」と威勢よく言う国会議員はごまんといるが、実際に解決策を実行する国会議員は皆無だ。

小泉純一郎元首相は、いろいろな批判はあっただろうが、それでも5人の被害者の帰国を実現した。その後、被害者の帰国は実現されていない。これが日本の政治の実力だ。

先ほども述べたように、ある目標の実現のためには、その他のものはそぎ落とす優先順位付けが重要だ。拉致問題の解決を優先順位一位に持ってくるなら、その他のものの優先順位は徹底的に下げざるを得ない。あらゆる目標の全てを希望通りに同時に実現することなどは夢想家が考えることであり、政治家が考えることではない。

僕は、拉致問題は武力で解決することができない以上、「金を払うこと」で解決するしかないと考えているが、そのようなことを言えば、これまた「売国だ！」と罵られる。

では、「金」以外に、一体どういう解決方法があるのか。僕を罵る連中は具体的な解決策を出さずに、「拉致問題は重要だ」「北朝鮮に圧力をかけていかなければならない」と口だけ威勢のいい言葉を繰り返す。そんな口だけの政治だから、拉致問題は全く解決できずに時間だけが過ぎていく。竹島問題も北方領土問題も同じだ。

この点繰り返しになるが、香港に一国二制度を適用し、いったん主権に制限を加えられた形で香港の主権回復の第一歩に乗り出した中国最高指導部の政治判断は見事だったと思う。そしてその後、2020年に香港版国家安全維持法を導入し、香港の政治制度を様々変更し、香港を中国の政治体制に完全に組み込んでしまった。つまり中国は香港に対する主権を完全に回復したのである。

1984年の英中共同声明によって一国二制度による香港返還を決めてから、実に36年。西側諸国は猛反対しているが、だからといって武力衝突には至っていないし、中国は経済制裁を受けているわけでもない。

こうした優先順位付けの重要性が求められるのは他国との政治交渉に限らない。ビジネスにしろ日常生活においてにしろ、誰の生き方にも常に求められることだと思う。

目標を実現するためには、現状よりもとにかく第一歩を進めることが重要なのだ。目標実現が困難なものになればなるほど、いきなり目標を完全に達成することなど不可能だ。だからいくつかの要求はそぎ落とし譲歩してでも、まず現状より一歩前に進めることが、目標実現のための黄金則といえる。

権限と責任の所在が別なのが最悪、しかし、あらゆる組織で…

僕が政治家だったときに痛感したのは、日本では、政治家が法律に基づいて権力行使をしても「権力の濫用だ！」と批判されることが多いということ。インテリの人たちは、とにかく政治家の権力行使が大嫌いだ。

「フェアの思考」ではその行為者が政治家かどうかで判断しない。それが誰であれ、「その行為はルールに基づいてフェアに行われているかどうか」で判断する。

典型的なのは政治家による人事権の行使について評価するときだろう。最近では日本学術会議に対する菅前政権の会員任命拒否問題。その前にも安倍政権下で検事総長の人事をめぐる騒動や内閣法制局長官の交代人事をめぐる騒動があった。

僕も選挙で選ばれた首長として自分に与えられた人事権を積極的に行使して批判を浴び

た経験がある。たとえば、教育委員会事務局が実質的に教育委員を選び、知事がそれを追認するだけだった教育委員人事の慣例を破り、大阪府政において初めて僕が教育委員を積極的に選ぼうとした。そのとき、事務局から猛反発を受けた。もちろん一部メディアからも猛批判を受けた。そこで「じゃあ、教育委員の人事権って誰が持っているのですか？ルール上どうなっているのですか？」と僕が事務局に聞くと「法律上は知事です」という答えが返ってきた。

僕は批判を顧みず、知事選挙の公約に掲げた教育行政の改革を担ってくれる教育委員を選ぶため、法律に則って知事の持つ人事権をフルに行使した。このように法律には知事が人事権者であることが定められている。しかし現実には知事の権限を無視するような形で、教育委員会事務局が教育委員人事をやっていた。そしてインテリたちはそれが教育の政治的中立性だと支持し、政治が法律に基づいて人事権を行使することに猛批判していた。つまりインテリたちは法律違反を支持するのだ。

府庁幹部の人事でも同じようにルールに基づいて知事の人事権をフルに行使した。部局長人事は、それまでの慣例では府庁総務部が持ってくる人事案について知事はただ追認するだけだった。それでは府庁改革は進まないと判断し、何人かの幹部については知事の人事権を行使して意中の人材を任用した。

もちろん、知事が人事に介入し過ぎたら組織が回らなくなってしまうという現実もあるので、自分なりにバランスを取りながらやっていたつもりだ。

行政組織において、法律に基づく権限を軽視した慣例はアンフェアというのが僕の持論である。会社組織でもそうだと思う。ルールに基づいて、権限と責任のある人がきちんとその権限を行使して結果について責任を取るというのがフェアな決定プロセスだ。

最悪なのは、責任のない者が権限を行使すること。それでは最終責任の所在が全く曖昧になる。「役人が決めた重要ポストの人事を知事・市長や政治家（内閣）が追認する」という慣例は、まさにその典型である。役人たちは選挙によって審判を受けることがなく、その重要人事の結果について有権者に対し責任を取ることがない。国民主権に完全に反する。組織における人事権というものは最強・最大の権力だ。だからこそ国民から負託を受けた政治家、知事、市長が行使するものだ。

政治家の権力行使・人事権行使は全てダメで、役人の権力行使・人事権行使が全ていいというのは人を見て主張を変えるアンフェアの思考。ルールに基づいた権力行使は、誰であっても認めるのが「フェアの思考」だ。

「お友だち人事」を防ぐプロセス

僕は民主政治の最終責任は有権者にあると思っている。国民主権の基本的な原理だ。ゆえに教育委員や役所の幹部の重要な人事権は、有権者に選挙で選ばれた政治家、知事、市長が行使しなければならない。そのことによって重要な人事権行使は選挙の審判に晒されることになり、有権者が最終責任を負うことになるからである。

教育委員会事務局や府庁総務部、その他役所組織自体は選挙で選ばれた者ではないので、彼ら彼女らが重要な人事権を行使すると、それについて有権者は責任を負うことができない。つまり、選挙で選ばれていない者たちが、有権者に責任を負わない形で重要な人事権を行使することになるのである。これは国民主権に対する重大な違反だ。

要するに、有権者に対し責任を取ることのできる首相・知事・市長が法律に基づいて人事権を行使するのと、有権者に対し責任を取ることのできない役人が法律に基づかず慣例に従って人事権を行使するのと、どちらが民主政治のルールに則っているのか。もちろん前者だ。

僕が知事・市長時代に行った人事の目的は、改革を実現するために役人の知恵や組織の知恵を借りることだった。だから組織内の人事部が人事の全てを決定すると、改革派が僕の下に集まるとは限らず改革が進まない。かといって個々の職員の力量を全て把握しているわけではない僕が、法律に則っているからといって全ての人事を決定すると、実際の組織運営に支障が出るだろう。

そこで知事・市長である僕が立てた大きな人事方針に沿って、組織内の人事部に人事案を「複数」出してもらい、最後に僕が選択・決定するという方法を採った。この選択・決定の過程で僕と人事部がコミュニケーションを取りながら、人事案の修正などをしていた。このような僕の人事権行使について、「権力の濫用だ！」「行政人事への政治介入だ！」と抽象論で批判してくるインテリが多かった。

しかし僕は法律に則って自らの権限を行使し、その際人事部の意見もしっかりと聞いていた。そして僕が決定することによって、有権者は選挙を通じて責任を負うことになる。仮に僕の人事権の行使について批判をするなら、適材適所になっていないということを具体的に指摘すべきである。対象者の人格や能力に問題があるとか、僕が恣意的に選んだとか、具体的に批判すべきだ。その人材の何がどう悪いのか具体的に議論することは重要だが、「政治による人事介入だ！」という批判では建設的な議論は何もできない。

同じく安倍政権は最高裁の裁判官人事において「司法への政治介入だ！」と批判された。最高裁事務総局（＝官僚機構）が出してきた単一の人事案をそのまま内閣が追認するというそれまでの慣例をやめ、事務総局に人事案を複数出させて、最後は内閣が選択・決定したという方法についてだ。

しかし最高裁の裁判官の人事権については、内閣が有することを憲法79条が定めている。これまでの慣例の通り事務総局が作った単一の人事案を内閣がそのまま追認するだけなら、それは事務総局が人事権を行使したことになる。多くのメディアやインテリたちはこの方法を支持するが、これは完全なる憲法79条違反だ。

事務総局が作った複数の人事案から安倍政権が決定することこそが、内閣の責任ある決定であり、憲法に適うのである。仮に安倍政権の最高裁裁判官人事を批判するなら、「司法への政治介入だ！」と叫ぶのではなく、やはり選ばれた人材がなぜ最高裁の裁判官にふさわしくないのかを具体的に論じる必要がある。

ただし、具体的に人材の適格性について議論するための仕組みが整っていないのが日本の政治行政の現状だ。

つまり最高裁の裁判官の人事に限らず、その他憲法や法律に則って内閣や知事・市長が行う人事について、その人材が適材か否かを事前にチェックするフェアなプロセスがないのである。このようなプロセスがあれば、「政治による人事介入だ！」という不毛な批判ではなく、きちんと人材の適格性をチェックする議論ができるようになる。

この点アメリカの議会には公聴会というプロセスが存在し、大統領が任命する重要な人事については、議会（上院）によって徹底的にチェックを受ける。このことに対して「政治介入だ！」という批判はもちろん起きない。政治が重要人事についてしっかり責任を負うプロセスとして当然のことだという認識だ。

日本でもこのようなプロセスを導入すべきだ。そのプロセスの中で野党が徹底的にその人材の適格性をチェックすればいいし、それが有権者に対する政治責任だ。ところが、日本においては政治が権力を行使することがとにかく嫌われるので、責任を果たすための政治の行為が「政治介入だ！」と批判される始末だ。

このような事前の人材適格性チェックのプロセスをしっかり踏めば、毎度繰り返されている閣僚就任直後の辞任騒ぎもだいぶ減るはずだ。さらに政権は「お友だち人事」ができなくなるだろうし、もし閣僚の不祥事が起きれば、チェックできなかった野党にも責任があるという話になるだろう。
「フェアの思考」に基づいて人事権行使にあたっての事前適格性チェックの適切なプロセスを構築すべきである。

沖縄の米軍基地問題をフェアに考える

何が正解か分からないから適切な手続き・プロセスを踏み、たどり着いた結論を正解だとみなして皆で納得する――「プロセスを重視して考えること」が僕流のフェアな政治の原点だ。これは先にケーキの分け方を例に論じた。僕はそれが民主主義の根幹だと思っている。フェアな手続きで出された結論だからこそ、国民はそれを正解とみなしたり、納得したりできるのである。

つまり「絶対的な正義よりもプロセスで考える」ということである。

その意味で言うと、日本の民主主義の弱点は「手続き・プロセスの軽視」ではないのか。沖縄の米軍基地問題がその典型だろう。

米軍基地の問題は日本全体の安全保障の問題である。沖縄の人には申し訳ないけれども、基地問題が沖縄県という自治体の知事選や市長選、または県民投票の結果で左右されることは手続きとして間違っていると思う。やはり安全保障の問題は、原則、日本全体の国政選挙で決着すべきというのが僕の持論だ。これも、この課題を決めるのは有権者のどの範囲か、投票権者をどの範囲にするのかという適切な手続き・プロセス論だ。

僕は知事・市長時代、都市整備の一環としてインフラを整備したり、大規模都市開発をしたりする際には、法律の手続きに則り、都市計画を決定して実行していた。その場合には計画案を住民に縦覧したり住民の意見を受け付けたりと、法律に定められた手続きに則って住民の意見を聴く数々の手順を踏んでいった。

このような自治体における開発についてさえ、数多くの手順を踏むルールがあるのだから、沖縄住民の生活に重大な影響を及ぼし沖縄戦の経緯から沖縄県民の感情にも強く触れ、そしていざ有事の際には敵国から攻撃対象にもなり得る米軍基地の設置については、都市計画決定以上の手順・プロセスを踏む必要があるはずだ。にもかかわらず、米軍基地の設置については、住民の意見を聴くなどの一般的な手続法が存在しないのだ。

米軍基地の設置場所の決定や設置条件は日米安保条約やそれに基づく日米地位協定に沿って、日米両政府の協議で定めることになっているだけだ。ある意味、日米両政府のフリーハンドの状態。僕は、これが在沖縄米軍普天間飛行場の辺野古移設問題が解決に向かわない最大の原因だと思っている。

沖縄を狙い撃ちにしたルールではなく、日本全体に適用される米軍基地設置のための手続法を国会で成立させようと審議すれば、その審議の中で初めて本州の国会議員や住民たちが沖縄の基地負担問題を真剣に考えることになるはずだ。

すなわち米軍基地の設置地域における住民の意見を軽く扱い、米軍基地を設置しやすい手続法にしてしまうと、その手続法に従って本州の住民たちは自分たちの住む地域に米軍基地が設置される可能性が高まる。それが嫌だからといって、本州に住む自分たちの意見を重視させ米軍基地を設置しにくい手続法にしてしまうと、その手続法を使って沖縄の住民が米軍基地設置を阻止できることになる。

これまで何十年と、「沖縄の負担を日本全体で分かち合え！」というきれいごとは言われ続けてきた。しかし一向に日本全体で分かち合うことはない。だから手続き・プロセスを使って、沖縄の住民と本州の住民の意見の重さを同等にするのだ。米軍基地を設置しやすい住民の意見を軽く扱う手続法にするなら、沖縄でも本州でも同じ程度に基地が設置される。逆に住民意見を尊重し基地を設置しにくくする手続法にするなら本州と同レベルで沖縄も基地を拒否できる。まさに沖縄と本州が対等になる。

このような手続法を定めようとすれば、沖縄選出をはじめとする全国の国会議員たちは、米軍基地の設置について、設置地域の住民の意見をどこまで尊重する手続法にすべきか悩みに悩むだろう。この脳みそに汗をかくプロセスこそが、普天間飛行場の辺野古移設問題を解決する糸口になると思う。

これは、米軍基地をどこにどのように設置するのが絶対的な正解・正義であるかを考える思考ではない。どこにどのように設置しても必ず地域住民から猛烈な反発の声が上がる。だからこそ、適切な手続法を活用して、日本全体の住民の声を同等に扱うという「フェアの思考」が必要なのである。

この米軍基地設置手続法の制定にあたっては、国会議員だけではなく、日本国民全体が悩みに悩み抜くだろう。自分の意見を尊重してもらうためには沖縄県民の意見も尊重することになり沖縄県の米軍基地が成り立たず、日本の安全保障に重大な影響を及ぼすことになる。他方、沖縄県に米軍基地を設置するために沖縄県民の意見を軽く扱うようでは、今度は自分たちの意見も軽く扱われ、自分たちの地域に米軍基地が設置される事態が生じる。自分の意見を尊重してもらいたいなら沖縄県民の意見も尊重する。沖縄県民の意見を軽く扱うなら、自分の意見も軽く扱われることを認める。

まさに「フェアの思考」そのものだ。

そんな国会議員と全国民が脳みそに汗をかきながら成立させた米軍基地設置手続法であれば、住民の声と基地設置のバランスが今よりマシにとれた手続き・プロセスになっていると思う。今は沖縄県民の声があまりにも軽く扱われ過ぎている。

そして本州の住民の声と沖縄県民の声を同等に扱う手続法に従って、沖縄県民の声を聞くプロセスを踏むのであれば、住民の声を示すために辺野古周辺で座り込み運動を行ったり、沖縄県の自治体の首長選挙で基地設置の是非を毎回争ったりする必要性は少なくなると思う。そして本州の住民と沖縄県民を同等に扱うこの手続法に従うことによって、沖縄県と本州の対立が緩和され、沖縄県に米軍基地が設置されるにせよ、沖縄県以外に設置されるにせよ、手続法に従った結果に対しては、沖縄県の住民も沖縄県以外の住民も、納得度は今よりもマシになると思う。

このように脳みそに汗をかいてフェアな手続きを考え、実践することが国民一人ひとりの思考力を高め、民主主義のレベルアップにもつながる。まさに「フェアの思考」が民主国家において必要な所以である。

本書の原稿は、書き下ろしに加えて、一部は著者メールマガジン『学者やコンサルでは伝えられない 橋下徹の「問題解決の授業」』をもとに大幅加筆したものです。

橋下　徹　はしもと・とおる
1969年生まれ、弁護士。早稲田大学政治経済学部卒業後、98年に橋下綜合法律事務所を開設。2008年に大阪府知事、11年に大阪市長に就任。「住民サービスの転換」を基軸に数々の改革を断行。10年に地域政党「大阪維新の会」、12年には国政政党「日本維新の会」を創設。15年12月の大阪市長退任後は執筆・講演など多方面で活躍。著書に『政権奪取論　強い野党の作り方』（朝日新書）、『実行力　結果を出す「仕組み」の作りかた』（PHP新書）など。

朝日新書
881

最強《さいきょう》の思考法《しこうほう》

フェアに考えればあらゆる問題は解決する

2022年９月30日第１刷発行

著　者　橋下　徹

発行者　三宮博信
カバーデザイン　アンスガー・フォルマー　田嶋佳子
印刷所　凸版印刷株式会社
発行所　朝日新聞出版
〒104-8011　東京都中央区築地5-3-2
電話　03-5541-8832（編集）
　　　03-5540-7793（販売）

Published in Japan by Asahi Shimbun Publications Inc.
ISBN 978-4-02-295189-2
定価はカバーに表示してあります。
落丁・乱丁の場合は弊社業務部（電話03-5540-7800）へご連絡ください。
送料弊社負担にてお取り替えいたします。